GALVESTON

NIC PIZZOLATTO

GALVESTON

Traduit de l'américain
par Pierre Furlan

belfond
12, avenue d'Italie
75013 Paris

Titre original :
GALVESTON
Publié par Scribner, une division de Simon
& Schuster Inc., New York

Si vous souhaitez recevoir notre catalogue
et être tenu au courant de nos publications,
vous pouvez consulter notre site internet :
www.belfond.fr
ou envoyer vos nom et adresse
aux Éditions Belfond,
12, avenue d'Italie, 75013 Paris.
Et, pour le Canada,
à Interforum Canada Inc.,
1055, bd René-Lévesque-Est,
Bureau 1100,
Montréal, Québec, H2L 4S5.

ISBN 978-2-7144-4700-5

Pour Amy et pour Allegra

« Combien de fois ai-je dormi sous
la pluie sur un toit étranger, pensant
au foyer paternel ? »

William FAULKNER, *Tandis que j'agonise*
(traduction de M.-E. Coindreau)

UN

UN MÉDECIN A PRIS DES PHOTOS DE MES POUMONS. Ils étaient pleins de rafales de neige.

Quand je suis sorti du cabinet, les gens dans la salle d'attente ont tous paru soulagés de ne pas être à ma place. Il y a des trucs qu'on peut lire sur les visages.

Je m'étais bien dit que quelque chose clochait parce que, plusieurs jours auparavant, en montant deux étages à la course pour rattraper un mec, j'avais eu du mal à respirer, comme si j'avais des haltères sur la poitrine. Depuis deux semaines, je buvais plutôt sec, mais je savais qu'il y avait autre chose. Je m'étais mis dans une telle rage, à cause de cette douleur subite, que j'avais cassé la main du mec. Il avait craché quelques dents et il était allé se plaindre à Stan en lui disant qu'à son avis j'y allais trop fort.

Mais c'est pour ça qu'ils m'ont toujours donné du boulot. Parce que j'y vais trop fort.

J'ai parlé de mes douleurs de poitrine à Stan, et il m'a envoyé voir un médecin qui lui devait de la thune : quarante mille dollars.

À peine ressorti de chez le docteur, j'ai pris les cigarettes dans mon blouson et j'avais commencé à écraser

13

le paquet entre mes doigts lorsque j'ai décidé que c'était pas le moment d'arrêter. J'en ai allumé une sur le trottoir, mais elle avait mauvais goût, et la fumée m'a fait penser à des fibres de coton en train de s'entrelacer dans ma poitrine. Les bus et les voitures roulaient lentement, et la lumière du jour rejaillissait sur leurs vitres et leurs chromes. Derrière mes lunettes de soleil, j'avais un peu l'impression d'être au fond de la mer et de voir les véhicules comme des poissons. Je me suis imaginé un endroit bien plus sombre, plus frais, et les poissons sont devenus des ombres.

Un klaxon m'a réveillé en sursaut. J'avais commencé à descendre du trottoir. J'ai fait signe à un taxi.

Je pensais à Loraine, une fille avec qui je sortais autrefois, et à une nuit que j'avais passée à discuter avec elle sur une plage de Galveston. De là où nous étions, nous pouvions regarder les fumées blanches et rondes des raffineries de pétrole se déployer au loin comme une route sous le soleil. Il devait y avoir dix ou douze ans de ça. Je crois bien qu'elle a toujours été trop jeune pour moi.

Même avant les radiographies, je bouillais de rage parce que Carmen, que j'avais considérée comme ma femme, s'était mise à coucher avec mon patron, Stan Ptitko. Et maintenant, j'allais le retrouver dans son bar. Ça n'avait plus tellement de sens, aujourd'hui. Mais on ne cesse pas d'être qui on est simplement parce qu'on a dans la poitrine un blizzard qui ressemble à des paillettes de savon.

On ne s'en sortira pas vivant, mais on espère toujours repousser une date limite. Je n'allais pas parler de mes bronches à Stan, à Angelo ou à Lou. Je ne voulais pas qu'ils passent du temps, dans le bar, à parler de moi quand je ne serais pas là. En rigolant.

Des empreintes de doigts salissaient la vitre du taxi, et, dehors, le centre-ville approchait. Il y a des endroits qui s'ouvrent à vous, mais La Nouvelle-Orléans n'avait rien d'un portail. La ville était une enclume à moitié enfouie qui produisait sa propre atmosphère. Le soleil flamboyait entre les chênes et les bâtiments, et je sentais sur mon visage les lumières et les ombres se succéder comme un éclairage stroboscopique. Je pensais au cul de Carmen, à la manière qu'elle avait de me sourire par-dessus son épaule. Oui, je pensais encore à Carmen, et ça n'avait aucun sens parce que je savais que c'était une pute et qu'elle était absolument sans cœur. Quand on avait commencé, elle était avec Angelo Medeiras. Je suppose que je l'avais prise à Angelo, plus ou moins. Maintenant, elle était avec Stan. Angelo bossait aussi pour lui. Je me sentais insulté, mais ce qui atténuait ce sentiment, c'était de me dire qu'elle baisait sans doute avec quelques autres dans le dos de Stan.

J'essayais de penser à qui je pourrais parler de mes poumons, parce que je voulais en parler à quelqu'un. Il faut bien dire que recevoir ce genre d'info quand on a du travail à faire, c'est vraiment con.

Le bistro s'appelait Stan's Place. Il était en briques, avec un toit en tôle, des barreaux aux fenêtres et une porte d'entrée cabossée, en métal.

Lou Theriot, Jay Meires et deux ou trois autres que je ne connaissais pas étaient assis à l'intérieur – des vieux. Le barman s'appelait George. Il avait l'oreille gauche bourrée de gaze blanche. Je lui ai demandé où se trouvait Stan, et il m'a indiqué d'un signe de tête un escalier qui grimpait le long du mur jusqu'au bureau.

Comme la porte était fermée, je me suis assis sur un tabouret et j'ai commandé une bière. Puis, me souvenant que j'étais mourant, j'ai changé ma commande pour un Johnnie Walker Blue. Lou et Jay discutaient d'une franchise de bookmaker qui posait problème. Je le savais parce que, quand j'avais un peu plus de vingt ans, j'avais travaillé dans les paris pendant quelques années et je connaissais le vocabulaire. Ils se sont arrêtés de parler et ils ont levé les yeux vers moi, vu que j'écoutais. Je suis resté sans sourire, sans rien montrer, et ils se sont remis à discuter, mais beaucoup plus bas, la tête baissée pour que je ne puisse pas les entendre. Ils ne m'avaient jamais tellement apprécié. Ils connaissaient Carmen en tant que serveuse, ici, avant qu'elle se mette avec Stan, et je crois qu'ils m'en voulaient un peu à cause d'elle.

Et puis ils ne m'aimaient pas parce que je n'avais jamais été vraiment intégré dans cette équipe. Stan m'avait reçu en héritage de son ancien patron, Sam Gino, qui lui-même m'avait reçu en héritage de Harper Robicheaux, et j'ai surtout à m'en prendre à moi-même si ces mecs ne m'ont jamais totalement accepté. Ils ont des idées de ritals pour ce qui est de s'habiller – des joggings ou alors des chemises à manchettes et des cheveux bien lissés –, mais moi je porte des jeans et des tee-shirts noirs avec un blouson et des santiags, comme je l'ai toujours fait, et j'ai les cheveux longs sur la nuque et je refuse de me raser la barbe. Mon nom, c'est Roy Cady, mais Gino a poussé tous les autres à m'appeler Big Country, ce qu'ils continuent à faire sans sympathie. Je suis de l'est du Texas, du triangle d'or, et ces mecs m'ont toujours pris pour une racaille, ce qui ne me dérange pas parce qu'ils ont aussi peur de moi.

16

C'est pas comme si j'avais eu la moindre envie de grimper dans la hiérarchie.

Mais je m'étais toujours bien entendu avec Angelo. Avant l'histoire de Carmen.

La porte du bureau s'est ouverte, et Carmen est sortie en lissant sa jupe et en se démêlant un peu les cheveux. M'apercevant, elle s'est figée. Mais Stan est apparu derrière elle, et elle est descendue dans l'escalier, suivie de Stan qui remettait le dos de sa chemise dans son pantalon. Les marches grinçaient sous leurs pas, et, avant d'arriver en bas, Carmen a allumé une cigarette. Toujours avec sa cigarette, elle est allée à l'autre bout du comptoir où elle a commandé un cocktail – un greyhound.

J'ai eu envie de lui lancer une vanne, mais j'ai dû la garder pour moi.

Ce qui me mettait le plus en colère, c'était qu'elle avait gâché ma solitude. J'avais été seul pendant longtemps.

Pour être clair : je baisais quand j'en avais besoin, mais j'étais seul.

Maintenant, j'avais l'impression qu'être seul n'était plus tout à fait satisfaisant.

Stan a adressé un signe de tête à Lou et à Jay, puis il est venu vers moi et m'a dit qu'Angelo et moi devions aller faire un boulot ce soir. J'ai dû me forcer pour avoir l'air de trouver sympa ce partenariat. Stan avait un front de Polonais qui partait en pente comme une falaise et qui couvrait d'ombres ses yeux minuscules.

Il m'a donné une feuille de papier et m'a dit : « Jefferson Heights. Tu vas rendre visite à Frank Sienkiewicz. »

Je me souvenais de ce nom, celui d'un président ou d'un ex-président de la section syndicale des dockers, ou bien leur avocat.

On disait que le pouvoir fédéral allait se pencher sur le cas des dockers ; la rumeur parlait d'enquête. Ils volaient de la marchandise pour les partenaires de Stan, et ce qu'ils encaissaient maintenait leur syndicat en vie, mais c'était vraiment tout ce que j'en savais.

Stan a dit : « Faut pas trop l'amocher. Je veux pas de ça pour l'instant. » Debout derrière mon tabouret, il m'a posé une main sur l'épaule. Je n'arrivais jamais à déchiffrer ces petits yeux enfoncés sous ce front saillant, mais un des secrets de sa réussite devait être le caractère absolument impitoyable qui se lisait sur son visage – les larges pommettes slaves au-dessus de la bouche serrée et sans lèvres d'un Cosaque. S'il est vrai que les Soviétiques ont eu des gens qui vous enfonçaient dans la bite le fil de fer d'un cintre de pressing chauffé au rouge, ça devait être des types comme Stanislaw Ptitko. Il m'a dit : « Il faut que ce mec arrive à bien comprendre un truc – qu'il doit jouer pour l'équipe. C'est tout.

— Et j'ai besoin d'Angelo pour ça ?

— Emmène-le quand même. Parce que je prends des précautions. » Il m'a aussi dit que je devrais passer à Gretna encaisser du fric avant de retrouver Angelo. « Alors, sois dans les temps », a-t-il ajouté en désignant de la tête le Johnnie Walker que je tenais.

Stan a bu un bon doigt de Stolichnaya, et il a fait glisser le verre pour le rendre au barman. La gaze qui enveloppait l'oreille de George avait une tache jaune au milieu. Stan ne m'a pas vraiment regardé. Il réajustait sa cravate quand il a dit : « Pas de flingues.

— Quoi ?

18

— Tu te souviens de ce routier, l'an dernier ? Je veux pas que quelqu'un prenne une balle parce qu'un autre aura les nerfs qui déconnent. Donc je te le dis comme à Angelo : laissez les flingues. Que j'apprenne pas que vous y êtes allés chargés !

— Le mec sera là ?

— Sûr. Je lui envoie une mignonne pour l'occuper. » En s'éloignant, il s'est arrêté à côté de Carmen, l'a embrassée fort en lui pétrissant un nichon. Une envie barbare s'est insinuée dans mon esprit. Puis il a pris la porte de derrière tandis que Carmen restait à fumer avec juste l'air de s'ennuyer. Je réfléchissais à ce qu'avait précisé Stan, qu'il ne fallait pas prendre de flingues.

Ça me paraissait bizarre, qu'il ait dit ça.

De l'autre bout du bar, Carmen m'a jeté un regard mauvais. Lou et Jay l'ont vu et se sont mis à lui parler, à lui dire que Stan avait l'air drôlement *détendu* quand il était avec elle. D'ailleurs c'était vrai, je m'en rendais compte, et tout ça commençait à me déranger – certains endroits tout au fond de moi se tordaient de honte. J'ai vidé le JW et j'en ai commandé un autre.

Carmen avait des cheveux châtain clair qu'elle portait longs et noués sur sa nuque. La peau de son joli visage était rêche, à présent, et la poudre pouvait s'accumuler dans ces petites fissures, ces rides qu'on ne voyait pas si on n'était pas tout près d'elle. Elle me faisait penser au verre vide d'un cocktail bu, quand il ne reste au cœur du verre vide qu'une écorce de citron vert écrasée sur la glace.

Je crois que les hommes l'aimaient parce qu'elle dégageait de la sensualité à haute dose. Il suffisait de la regarder et on le savait – celle-là est prête à tout. C'est sexy, mais en fait on ne le supporte pas.

J'étais au courant de choses qu'elle avait faites, des choses qu'Angelo ne connaissait pas. Avec des partenaires multiples. Une fois, elle avait proposé de faire venir une fille en plus pour moi, histoire de corser l'affaire.

Pas vraiment mon truc. À cette époque, j'avais une idée romantique de l'amour, mais je vois maintenant que c'était déplacé.

Je crois que la trahison branchait Carmen plus que le sexe. Comme si elle avait un compte à régler.

Elle a prétendu qu'une fois je l'ai frappée, mais je l'ai pas crue. Elle était un peu comédienne, et le théâtre, pour elle, passait avant la vérité.

Je dois pourtant admettre que mon souvenir de la nuit en question a quelques lacunes.

Dans le bar, Lou lui a alors dit un truc du genre : « C'est clair que tu sais comment t'y prendre pour contenter un mec.

— Personne ne peut dire que je fais pas d'efforts », a répondu Carmen.

Ils ont tous ri, et le 9 mm que j'avais dans le bas du dos m'a donné la sensation de chauffer. Mais ça ne m'aurait apporté aucune satisfaction. J'étais en colère, c'est tout ; je ne voulais pas de la façon de mourir que le médecin m'avait plus ou moins clairement prédite.

J'ai laissé tomber quelques billets sur le comptoir et je suis sorti. Deux soirs auparavant, j'étais bourré à la tequila et j'avais laissé mon pick-up là. Il était intact, un gros Ford F-150 de 1984. On était en 1987, et j'aimais les modèles de ces années-là : carrés et massifs, de la mécanique lourde, pas des jouets. J'ai traversé la voie express Pontchartrain, mais je n'ai pas allumé la radio, et mes pensées bourdonnaient comme des abeilles.

À Gretna, dans la rue Franklin, je me suis demandé quand je ferais ce genre de chose pour la dernière fois. Chaque gerbe de lumière solaire qui venait heurter le pare-brise à mesure que les arbres défilaient me demandait à sa manière de l'apprécier, mais je ne dirai pas que c'était le cas. J'ai essayé de concevoir ce que signifierait ne pas exister, mais je n'avais pas l'imagination nécessaire.

J'avais la même sensation d'étouffer, d'être sans espoir, que lorsque j'avais douze ou treize ans et que je regardais fixement les longs champs de coton. Les matins d'août où je portais un sac de grosse toile sur l'épaule et que M. Beidle, sur son cheval, muni du sifflet du chef, dirigeait les gosses du foyer. L'idée atroce de l'infini dans le travail. Cette sensation de ne jamais pouvoir gagner. Après avoir cueilli le coton pendant une semaine, j'avais remarqué les premiers cals sur mes mains quand j'avais laissé tomber une fourchette et que je m'étais rendu compte que je ne sentais rien avec le bout de mes doigts. Et maintenant, je regardais les durillons – ils étaient toujours là sur les doigts qui serraient le volant –, et une vague de colère a crispé mes poings. Le sentiment qu'on m'avait trompé. Puis j'ai pensé à ma mère, Mary-Anne. Elle était faible : une femme intelligente qui s'est rendue bête Mais mieux valait que je ne pense pas à elle ce jour-là.

J'ai trouvé l'adresse que Stan m'avait donnée, un immeuble pisseux, divisé en appartements, qui venait après une série d'entrepôts : des briques pâles couvertes de graffitis, des herbes hautes et des graminées qui envahissaient le terrain vide à côté. Des guimbardes dans le parking, et cet air chargé de pétrole et d'ordures chaudes que brasse La Nouvelle-Orléans.

Numéro 12. Premier étage. Ned Skinner.

D'un pas nonchalant, je suis passé une première fois devant sa fenêtre et j'ai jeté un coup d'œil à l'intérieur. C'était sombre, je n'ai pas relevé de mouvement. J'ai glissé une main dans la poche où je garde mon coup-de-poing américain, et j'ai continué à traverser le balcon. Je suis descendu au rez-de-chaussée, j'ai fait le tour et j'ai vérifié les fenêtres de derrière. Une brise faisait onduler les hautes herbes. Je suis revenu à l'étage et j'ai frappé à sa porte. Le bâtiment tout entier sentait l'abandon ; les stores étaient tirés, aucun bruit de télé ou de radio. J'ai attendu, j'ai regardé autour de moi, puis je me suis servi de mon cran d'arrêt sur le pourtour de la serrure. Du bois sans valeur qui s'est fendu facilement.

Je me suis glissé à l'intérieur et j'ai refermé la porte. Un petit appart avec deux ou trois meubles, et partout des trucs bons à jeter, des journaux et une tonne de vieux papiers sur les courses de chevaux, des emballages de fast-food, une TV à boutons dont l'écran était fêlé. Le long du plan de travail, des bouteilles vides d'une vodka plus qu'ordinaire. J'ai toujours détesté les mecs bordéliques.

Ça schlinguait, là-dedans : une odeur de transpiration, d'haleine fétide et de vinaigre humain. Les moisissures et la saleté rongeaient la salle de bains, et des vêtements raides jonchaient le carrelage. La chambre n'avait qu'un matelas par terre et des draps minces, jaunis, emmêlés. Des bulletins de parieur, froissés, parsemaient la moquette comme des fleurs coupées.

Sur la moquette, près du lit, une photo encadrée gisait à l'envers. Je l'ai ramassée : une femme aux cheveux bruns et un petit garçon, tous les deux bien mignons, souriants, avec des yeux brillants. La photo paraissait dater de plusieurs années. Ça se voyait à la coiffure de la femme et à son style de vêtements, et puis le papier était plus épais que ce qu'on trouve d'habitude de nos jours – il donnait une sensation de cuir. Les visages semblaient s'être un peu décolorés au fil du temps. Je l'ai portée dans le séjour, j'ai viré d'une chaise un carton à pizza et je me suis assis. J'ai regardé la photo, puis l'appartement. J'avais vécu dans des endroits comme celui-ci.

J'ai examiné les sourires sur la photo.

Quelque chose m'a effleuré à ce moment-là, un sentiment ou un savoir, sans que je parvienne à le saisir. La sensation de quelque chose que j'avais connu ou éprouvé jadis, un souvenir qui refusait de venir au jour. Je tendais le bras encore et encore, mais je ne pouvais pas l'attraper.

Ça me semblait proche, pourtant.

La lumière des stores projetait sur moi les rayures démodées des prisonniers d'autrefois. J'ai attendu longtemps sur cette chaise, mais le mec n'est jamais arrivé. Étant donné ce qui s'est passé ensuite, j'en suis venu à considérer le temps que je suis resté à l'attendre comme une ligne de démarcation dans nos deux vies, la sienne et la mienne.

Un moment où les choses auraient pu basculer dans un sens avant de partir dans l'autre.

CE SOIR-LÀ, J'AI RETROUVÉ ANGELO À HUIT HEURES, au Blue Horse, près de la rue Tchoupitoulas. C'est une sorte de bar pour bikers, et je m'y étais toujours senti chez moi, plus que dans la boîte de Stan.

J'avais d'abord fait une halte à ma caravane. Une idée ne me lâchait pas ; c'était un peu parano, mais quand Stan m'avait dit de ne pas prendre de flingue, je m'étais mis à réfléchir. Je me demandais pourquoi il m'avait dit ça alors que je suis un pro – en plus, pas vraiment un flingueur. Et pourquoi avait-il besoin que je le fasse avec Angelo ? Je l'ai soupçonné de vouloir me faire buter par Angelo. Il était possible que tous les deux, lui et Stan, aient décidé de me liquider à cause de Carmen. Qu'ils aient cru que je l'avais cognée, par exemple. Ou bien qu'ils ne veuillent plus me voir me balader après que je l'ai eu baisée. Ou encore autre chose.

C'est juste pour dire que ça me paraissait louche. Et j'avais beau mettre mon instinct en doute, j'allais lui obéir. J'ai donc pris mon coup-de-poing américain en bronze et ma matraque rétractable ; mais j'ai aussi glissé dans ma botte mon cher 9 mm, un colt Mustang. En plus, j'ai attaché à mon avant-bras un stylet à ressort, armé. Je ne m'en étais pas servi depuis des années, mais je l'ai passé au lubrifiant WD-40 et je l'ai essayé après avoir mis mon blouson. Quand j'ai fait pivoter mon poignet, la lame a sauté dans ma main comme un éclair froid et coupant.

Angelo m'a pourtant étonné lorsque je l'ai retrouvé au bar. Il s'est retourné sur son tabouret et m'a tendu la main. Il avait un air de chien battu, et je lui ai donc serré la main en prenant bien soin de ne pas faire pivoter mon poignet.

« T'es prêt à y aller ? j'ai dit.

— Laisse-moi finir. » Il a fait face au comptoir et il a bu son bourbon soda à petites gorgées. Sa banane de moins en moins fournie avait reculé loin sur son crâne, et, dans son survêt noir, il détonnait ici autant que moi chez Stan. Je me suis assis à côté de lui et j'ai contemplé les bouteilles.

Il a dirigé vers moi un regard chargé de ce que je pourrais appeler une tristesse furieuse, comme s'il avait du mal à se tenir tranquille mais ne savait que faire de lui-même, balançant son genou de haut en bas, se triturant les ongles. Puis j'ai compris.

« Des problèmes ? j'ai dit.

— T'es au courant pour Stan et Carmen ?

— Bien sûr, ouais. »

Il m'a lancé un regard furibond.

« Rien à branler », j'ai dit. J'ai regardé les bouteilles et je me suis souvenu de mon cancer. « Un Johnnie Walker Blue. Double. »

Ce verre m'a coûté quarante dollars. Chaud et moelleux, il m'a coulé dans la gorge, et quand il a répandu sa chaleur dans ma poitrine, il lui a donné une sensation de vie.

« C'est juste une..., a marmonné Angelo.

— Une quoi ?

— Sa façon de... Elle va juste... *Pourquoi* ? Avec *lui* ? Tu connais les mêmes histoires que moi, sur lui. »

J'ai dit : « C'est pas vraiment la plus pure des nanas. Bon, ça va. C'est une pute.

— Dis pas ça. J'ai pas envie qu'on parle d'elle comme ça.

— Alors, t'as qu'à pas parler d'elle du tout, j'ai répondu. Pas avec moi. » Je le voyais, du coin de l'œil, me regarder avec rage.

L'autre truc de Carmen qui plaisait aux hommes, c'est qu'elle était intelligente, ou en tout cas rusée, et qu'elle comprenait bien leur manière de penser. Il était diffi-cile de la prendre juste pour une jolie demeurée. Je crois que bien des hommes la trouvaient plus intelligente qu'eux, et ça peut devenir excitant. J'ai englouti la seconde moitié de ce superbe whisky et je me suis retourné.

« T'es prêt ? »

J'ai presque cru qu'il allait essayer de me frapper, mais il a poussé un soupir et il a fait oui de la tête, battu. Il s'est hissé sur ses pieds et il a dû raffermir ses jambes. Je ne m'étais pas rendu compte qu'il était soûl à ce point, et maintenant je m'inquiétais un peu au sujet de Sienkiewicz, le type de Jefferson Heights. « C'est toi qui conduis », a-t-il dit.

Mon pick-up s'est réveillé en faisant du shimmy comme un chien mouillé, tandis que la voix à la radio racontait quelque chose sur Jim Bakker qui se serait défroqué. Angelo restait assis là comme s'il était dégonflé. J'ai vérifié deux fois l'adresse et j'ai pris la route Napoléon vers le nord jusqu'à la 90.

Il s'est penché vers l'avant et il a éteint la radio. « Tu te souviens, a-t-il dit d'une voix un peu biturée, tu te souviens – on dirait que ça fait des années – de la fois où on a cassé ces gosses qui vendaient de la came dans le parc Audubon ? »

J'ai dû réfléchir une minute. « Ouais.

— *Man*, y avait ce garçon qui s'est mis à chialer. Tu te souviens… Bon, on avait encore rien fait. Et ces larmes… » Il a eu un petit rire nerveux.

« Je m'en souviens.

— *"Siouplaît. C'est juste pour payer l'école."*

— Ouais.

— Et toi qui dis : *"L'école, c'est ça."* » Il s'est interrompu et s'est redressé sur le siège. « Tu te souviens de ce sac ?

— Oh ouais. »

Ça remontait à cinq ans environ, je venais juste d'entrer dans l'équipe de Stan. Le gamin avait des sachets de coke de sept grammes et quatre mille dollars bourrés dans un sac à dos.

« Tu te souviens de ce qu'on a fait ? a demandé Angelo.

— On les a donnés à Stan.

— Ouais. » Il a bougé pour me faire face, gardant ses mains molles sur ses genoux. « Je sais que tu pensais la même chose que moi. Qu'on pourrait juste se les partager. Que Stan était pas obligé d'être mis au courant. »

Sa voix faible et sinueuse se mélangeait aux lumières des phares qui jaillissaient à travers le pare-brise.

« Mais on se faisait pas confiance, a-t-il poursuivi. On y a pensé tous les deux. Mais on avait pas confiance. »

J'ai jeté un coup d'œil vers lui et j'ai respiré à fond. « Où tu veux en venir ? »

Il a haussé les épaules. « J'en sais rien. C'est juste que… Je réfléchissais. Bon. Qu'est-ce que je retire de tout ça ? Et *toi*, qu'est-ce que t'en retires ? J'ai quarante-trois balais, *man*. »

On aurait dit qu'il s'attendait à trouver un pote, mais je pensais qu'il n'en avait pas le droit. En plus, c'était assez lamentable de voir ce gros rital essayer de parler de ses sentiments sans même avoir le vocabulaire pour les qualifier.

Il pleurnichait sur sa vie alors qu'on venait de prendre mes mesures pour un cercueil.

« Tu ferais mieux de te concentrer, je lui ai dit.

— Ouais. »

Il a regardé par la vitre tandis que je mettais une cassette de Billy Joe Shaver. Je savais qu'Angelo le détestait. Mais il n'a rien dit sur la musique.

Je me sentais un peu coupable parce que j'avais plus ou moins projeté de le planter dans le cou, ce soir, mais ç'aurait été l'équivalent de foutre des coups de pied à un paralytique. Il faut une bonne raison.

J'ai le sens du fair-play.

Ce qui veut dire que si on m'a donné votre nom sur une feuille de papier, c'est que vous avez fait quelque chose pour qu'il atterrisse dans ma main. Quelque chose que vous n'auriez pas dû faire.

Quoi qu'il en soit, Angelo regardait dehors par la vitre et soupirait comme une ado pendant que je sentais les cordes métalliques de la guitare battre depuis les haut-parleurs des portières et titiller les plombages de mes dents. Au bout d'un moment, dans l'avenue Newman, j'ai trouvé la maison : une construction de style victorien, avec des piques en fer forgé dans la clôture du jardin. On a contourné à plusieurs reprises le pâté de maisons, en élargissant chaque fois le cercle pour voir si l'endroit était surveillé. J'ai laissé le pick-up dans la rue Central. De là, nous pourrions nous faufiler entre les maisons.

J'ai vérifié mes affaires et j'ai enfoncé ma cagoule de ski dans la poche de mon blouson. Angelo a commencé à mettre la sienne, mais je lui ai dit d'attendre qu'on soit sur place – il le savait, mais il agissait comme s'il n'était même pas capable de nouer ses lacets. Je me suis demandé si j'allais pas lui demander de m'attendre là. Et puis non, ça n'irait quand même pas. On s'est glissés à travers les jardins jusqu'à l'autre côté. Il n'y avait qu'un réverbère allumé dans l'avenue Newman, et il était au-delà de l'endroit où nous allions. Je n'ai pas entendu de chien. Tout était éteint dans la maison.

Je lui ai dit que j'allais passer par l'arrière et qu'il devait frapper à la porte de devant.

J'ai enfilé ma cagoule, posé les mains entre les poteaux et sauté par-dessus la clôture. Puis j'ai traversé la cour arrière, où tout était silencieux à part le filet d'eau d'une mare en pierre au son étrange et apaisant. J'ai gravi les marches menant à la porte de derrière. Je n'y ai pas pensé sur le coup, mais j'aurais dû remarquer qu'il n'y avait pas de mouvements, pas de lumières, rien. Je n'avais pas noté que, de toutes les maisons de la rue, c'était la seule à être plongée dans l'obscurité.

Mais j'étais pressé. Je pouvais sentir mon haleine au whisky prisonnière de la cagoule et j'entendais, derrière le gargouillis de la mare en pierre, ce que mon souffle avait de rauque. Debout contre la porte de derrière, j'ai tendu l'oreille.

J'ai entendu Angelo frapper de l'autre côté de la maison. J'ai attendu, puis j'ai perçu des pas, à l'intérieur, qui se dirigeaient vers la porte d'entrée. Je me suis reculé, j'ai sorti ma matraque et j'ai compté trois secondes. Puis ma botte a fendu la porte, et le bois a éclaté vers l'intérieur.

J'ai chargé aveuglément dans l'obscurité, la matraque levée. Quelque chose de lourd a fait un bruit sourd contre mon crâne, et une lueur rouge a fleuri dans l'obscurité.

J'ai perdu la notion du temps.

Je me suis réveillé quand quelqu'un m'a laissé tomber au sol. Une migraine me vrillait la tête. Je n'avais plus ma cagoule, et j'ai vu Angelo assis devant moi. Du sang coulait sur son visage ; il a levé une main vers son nez. Nous étions dans l'entrée de devant, et le faible éclat d'une petite lampe sous son abat-jour en verre orange nous donnait une teinte moutarde. Le papier peint était rouge. Un homme était debout près de moi, un autre près d'Angelo. Ils portaient des cagoules et des combinaisons noires, et chacun tenait un pistolet muni d'un silencieux. Leurs gilets noirs avaient les poches gonflées, et ils étaient chaussés de solides rangers. De vrais pros. Mes yeux ont rencontré les leurs : ils étaient petits et froids, comme ceux de Stan.

Celui qui était près d'Angelo a jeté un coup d'œil à l'angle de la pièce, et nous avons entendu des pas. J'ai cru qu'une femme geignait. Dans l'air flottait une odeur âcre de poudre, mais aussi de merde. J'ai regardé autour de moi.

Ce qui devait être le corps de Sienkiewicz gisait dans la pièce d'à côté, à l'écart. Sa chemise brillait de quelque chose de mouillé.

J'ai entendu un autre sanglot et j'ai cru que c'était Angelo, mais quand ma vision s'est adaptée j'ai aperçu une fille assise sur une chaise dans l'obscurité, à ma gauche. Je voyais suffisamment ses joues pour discerner le mascara qui coulait. Elle se serrait dans ses propres bras et tremblait.

J'ai compris ce qui se passait, et pourquoi Stan n'avait pas voulu qu'on prenne nos flingues. J'ai regardé Angelo, mais il semblait déconnecté : il avait les yeux mouillés et il fixait le sang qui s'accumulait dans sa main ouverte sous son nez.

Les pas de quelqu'un qui s'approche – un troisième homme est arrivé à l'angle en resserrant son pantalon. Il portait, coincé sous le bras, un épais dossier plein de papiers et il était habillé comme les deux autres, façon tueur. Une fois son pantalon en place, il a sorti son pistolet de sa ceinture.

« Mettez-les debout. » Il avait un accent bizarre, ni américain ni européen.

Angelo a braillé : « C'est quoi ? Vous êtes qui ? » L'un des hommes lui a flanqué un coup de crosse, et Angelo s'est couvert la bouche en se roulant par terre.

La fille sur la chaise s'est mise à respirer de plus en plus vite, comme si elle s'étouffait.

Le type qui avait frappé Angelo s'est penché pour le prendre par les cheveux et l'a obligé à se redresser. Celui qui était près de moi a posé son silencieux contre ma tempe et m'a dit : « Debout. »

Je me suis relevé lentement, mais son pistolet ne me lâchait pas. Je pouvais sentir qu'ils avaient vidé mes poches et que le 9 mm n'était plus dans ma botte. J'ai jeté un coup d'œil à Angelo. Il était dans une petite flaque de pisse. On était sans armes, face à trois flingues pratiquement collés à nous.

Dans une situation comme ça, on ne s'en sort tout simplement pas.

Ils ont poussé Angelo contre un mur et ils ont mesuré la distance entre lui et le corps de Sienkiewicz dans la pièce adjacente. Je crois qu'ils essayaient de nous placer de façon à donner l'impression que nous nous étions entre-tués, mais j'en suis pas sûr.

Le mec près de moi m'a envoyé une beigne sur un côté de la tête puis m'a poussé en avant. J'ai fait comme si je trébuchais et je suis tombé sur un genou.

Au moment où il m'empoignait pour me redresser, j'ai lancé mon poignet et fait jaillir le stylet, le lui plantant dans le cou. Un geyser de sang chaud m'a inondé le visage et la bouche.

Sans retirer la lame, je suis tombé derrière lui, tandis que les deux autres levaient leurs pistolets. L'un d'eux a fait feu sur moi, et du plâtre sur un mur a sauté, pendant que l'autre cramait Angelo, qui est tombé à genoux en même temps que sa banane s'envolait. Puis ils ont tous les deux tiré sur moi. Les coups ont fait *fouap* comme de l'air changé en éclairs, mais c'est le troisième homme qu'ils ont atteint. Il s'est tordu sous l'effet des balles, la lame toujours dans le cou.

Mon flingue se trouvait juste devant moi, coincé dans la ceinture du mec. Je l'ai retiré, je l'ai levé et j'ai tiré à travers les gerbes de sang en direction de l'homme le plus proche.

Je n'ai pas vraiment eu le temps de viser, et les jets de sang artériel m'aveuglaient à moitié, mais je l'ai atteint en pleine gorge. Il a eu un soubresaut, il a tiré un coup de feu et il est tombé à la renverse.

Jamais de toute ma vie je n'avais tiré comme ça.

Encore autre chose : le dernier, celui qui avait buté Angelo, venait d'être cueilli par la balle que son pote avait tirée en tombant. Une de ses aisselles fumait, et il s'étreignait lui-même, effondré contre le mur. Son flingue se trouvait à un mètre de sa botte.

C'est alors que le corps d'Angelo a terminé sa chute, tombant lourdement de côté sur la moquette.

Le dernier a regardé son revolver, puis son pied, et il a levé les yeux vers moi juste au moment où je lui tirais une balle dans la tête.

Le tout a dû prendre dans les cinq secondes.

La fumée qui s'étendait dans l'entrée ressemblait à une brume montant du sol. Le haut du visage d'Angelo s'était détaché, et ses joues brillaient de larmes et de sang. J'ai vomi. La fille sur la chaise pleurait de plus en plus fort et gémissait.

Les trois hommes en noir étaient entassés sur le sol, et de minces rubans de fumée sortaient de leurs corps. La lame jaillissait d'un cou comme une énorme épine et, sous la lumière orange, le sang qui en coulait ressemblait à de la peinture.

La fille dans l'ombre restait assise à frissonner sur sa chaise, les yeux écarquillés. Je suis passé devant elle pour entrer dans le couloir.

J'ai aperçu, vers le fond, une lumière dont je me suis doucement approché. Le corps nu d'une femme gisait sur un lit, et une lampe de chevet posée sur la table de nuit lui donnait une teinte verte. Les draps étaient ensanglantés ; elle avait de profondes blessures à la gorge et aux cuisses. Elle était jeune, mais moins que la fille sur la chaise.

Je suis revenu vers celle-ci et je lui ai dit : « Mets-toi debout. Je te ferai rien. »

Elle n'a pas bougé. Elle ne me regardait pas et ne cillait même pas. Je l'ai donc laissée tranquille une seconde pendant que j'essuyais le sang que j'avais dans les yeux.

J'ai remarqué le dossier dont les feuilles parsemaient le sol de l'entrée. Des fragments d'os avaient giclé dessus. Je me suis accroupi, j'ai rassemblé les papiers et je me suis dirigé vers la porte de derrière. Et puis je me suis arrêté. La fille n'avait pas bougé.

Mais elle avait vu mon visage. Je l'ai giflée sur la joue. Je l'ai tirée de sa chaise par le bras. « Debout. Tu viens avec moi. »

Elle a bégayé : « Qu'est-ce que tu vas faire ?

— Il faut qu'on se tire d'ici.

— Où est-ce qu'on va ?

— J'sais pas. » Pour la première fois, j'ai bien regardé son visage. Elle était plus jeune que je ne l'aurais pensé. Elle utilisait le mascara avec maladresse, en trop grande quantité, et maintenant on aurait dit qu'elle s'était renversé de l'encre sur la figure. Blonde, les cheveux très courts ; même avec son maquillage qui lui coulait sur les joues, on aurait presque dit une gamine. Et puis il y avait encore autre chose qui ressemblait à ce qu'on pouvait parfois détecter dans les yeux de Carmen – des règles qu'elle s'imposait pour survivre, un nœud de choix difficiles. C'était peut-être le fruit de mon imagination. Ce que je pouvais alors reconnaître ne faisait que m'effleurer sous la forme d'instinct ou de sentiment.

J'ai répété : « Viens avec moi. » Comme elle ne bougeait pas, je lui ai mis le pistolet devant la figure.

Elle a d'abord fixé le canon, puis mon regard. Je ne parvenais pas à déceler la couleur de ses yeux dans cette faible lumière orangée. Elle a regardé le sol. Ensuite elle s'est laissée glisser de la chaise sur ses genoux, et elle s'est accroupie autour des corps pour fouiller les poches des hommes que j'avais tués. Je me suis dit qu'elle cherchait de l'argent ou quelque chose qu'ils lui avaient pris. Un geste que j'appréciais à sa juste valeur, car il paraissait confirmer la veine pragmatique que j'avais sentie en elle.

Pendant tout ce temps, j'attendais les sirènes. Je me suis approché des fenêtres et j'ai regardé dehors : la nuit semblait calme, nullement troublée. Depuis la pièce adjacente, la fille avait apporté un grand sac à main et, après sa tournée des poches, avait fourré plusieurs choses à l'intérieur. Elle s'est levée et, d'un air sévère, farouche : « Vonda, a-t-elle dit. Mon amie Vonda. »

Elle s'est engagée dans le couloir en direction de la chambre, mais je lui ai attrapé le poignet. J'ai fait non de la tête. « Tu veux pas voir ça.

— Mais... »

La tenant par le bras, je l'ai tirée à l'extérieur par la porte de derrière, puis de l'autre côté de la rue et dans les zones d'ombre où je m'attendais toujours à entendre les sirènes en provenance de l'autoroute 90. Mes narines étaient pleines de sang et de poudre, et je sentais le sang sécher sur mes joues. J'ai ôté mon tee-shirt, je me suis frotté énergiquement le visage et je me suis mouché. Nous nous sommes faufilés entre les jardins, sous l'obscurité morcelée des arbres, jusqu'à ce que nous soyons hors de vue.

Quand nous sommes arrivés au pick-up, j'ai poussé la fille à l'intérieur et j'ai mis le moteur en marche. La chanson de Billy Joe se mêlait au bruit du moteur, et ces sons ont provoqué chez moi un sourire grimaçant. J'ai songé que si j'avais parlé de mes bronches à Stan, tout

35

cela ne serait peut-être pas arrivé. Il aurait peut-être décidé de laisser la nature suivre son cours.

Pendant quelques secondes, je suis resté assis dans le pick-up, la bouche fendue d'une oreille à l'autre par ce rictus. Je m'imagine que la fille a dû en avoir peur, car elle s'est recroquevillée contre la vitre et elle a regardé le plancher tandis que je m'éloignais du trottoir et prenais la direction de l'autoroute.

Rétrospectivement, je pense aujourd'hui que si je l'ai emmenée avec moi, ce n'est pas juste parce qu'elle avait vu mon visage. Qu'est-ce que ça pouvait bien me faire, qu'elle m'ait vu ? J'étais en train de mourir. D'ailleurs, j'aurais pu me raser la barbe, me couper les cheveux. L'une des raisons qui me poussaient à garder les cheveux longs était de me dire que, si j'étais traqué, je pouvais me faire mettre la boule à zéro et me raser pour avoir un tout autre profil.

Je crois que pendant peut-être une seconde, là, dans cette entrée à la lumière orange foncé, remplie de fumée et de sang, alors que les détonations retentissaient encore dans mes oreilles et que ma mâchoire était toute raide d'adrénaline, quelque chose dans le visage de cette fille – sa peur, sa douleur – avait fait resurgir le sentiment qui m'avait envahi un peu plus tôt dans l'appartement vide, celui d'une chose que j'avais oubliée mais qui résonnait encore en moi, un souvenir devenu intuition, une absence.

Quoi qu'il en soit, cette fille s'est avérée être, elle aussi, de l'est du Texas.

ELLE M'A DIT QUE SON PRÉNOM ÉTAIT RAQUEL mais que tout le monde l'appelait Rocky. Surtout, elle était terrorisée et, si ce qu'elle venait de traverser aurait pu rendre pas mal de gens mutiques, elle parlait comme un mainate. J'aurais tendance à croire qu'à un certain moment de sa vie, avant les événements de ce soir-là, elle avait appris qu'on peut survivre à tout. « Mon nom de famille, c'est Arceneaux. » Elle l'a prononcé à la française. « Tu vas me tuer ?

— Non. Arrête de me poser cette question. »

J'ai roulé jusqu'à ma caravane, à Metairie. Nous sommes restés un moment dans le noir au bord du village de mobil-homes, mais je n'ai rien remarqué de changé dans ma caravane – un modèle de grande taille. Pas de véhicules inconnus. Pas de lumière visible par les fenêtres. Nous sommes donc entrés. Je l'ai poussée devant moi et je n'ai pas allumé.

« C'est *là* que t'habites ?

— Ferme-la. »

Je me suis demandé depuis combien de temps les mecs en tenue de commando étaient censés avoir rejoint Stan. Dehors, le monde était presque trop

37

tranquille ; les chênes verts et les érables qui entouraient le parc semblaient avoir cessé de bruire ; ils se contentaient de se pencher sur ces petites boîtes dans un air immobile. Les lumières des autres caravanes ne trahissaient pas non plus de mouvement. Personne ne passait derrière ces fenêtres dont l'éclat faisait faiblement luire le dessous des branches ainsi que les jouets en plastique et les pneus qui vérolaient la cour boueuse. J'ai allumé dans l'entrée.

J'ai laissé mon pistolet sur le couvercle de la cuvette des W-C, puis je me suis lavé la figure dans le lavabo de la salle de bains. Je me suis récuré les avant-bras et les mains avec du savon ponce et de l'eau brûlante qui s'est vidée en un tourbillon rose.

J'ai pris une chemise propre et j'ai extrait de mon armoire un coffret semblable à ceux dont on se sert dans les banques pour mettre des avoirs en sécurité. Il contenait un peu plus de trois mille dollars, un faux permis de conduire et un passeport également faux que j'avais fait faire plusieurs années auparavant. Mon plan de retraite. J'ai aussi pris une boîte de cartouches 9 mm sur une étagère, une plaque minéralogique au numéro sans problème, d'autres vêtements, et j'ai jeté le tout dans un vieux sac marin des surplus de l'armée.

La fille était assise dans le seul siège de la salle de séjour, un grand fauteuil de la marque La-Z-Boy où j'avais fini par passer la plupart de mes nuits. Une armée de canettes vides – de la bière High Life – jonchait le sol autour du fauteuil. C'était bien une armée parce que je m'étais servi d'un couteau pour découper de petits rubans dans le flanc des boîtes et les plier vers le bas comme des bras, puis j'avais soulevé le haut pour donner l'apparence de têtes. Tout ça en regardant *Fort Apache*, et j'étais un peu gêné que Rocky le découvre. Le fauteuil se trouvait en face de la télé, du magnétoscope et de la pile de vidéocassettes.

« Tu as plein de films, m'a-t-elle dit, mais pas de meubles. » Son regard a balayé les boîtes de bière sur le tapis.

J'ai agité le pistolet dans sa direction. « Retourne au pick-up. Bouge !

— On vient juste d'arriver. Tous tes films sont *vieux*. »

J'avais la collection presque complète de John Wayne en cassettes vidéo, et je regrettais de la laisser. Il m'avait fallu plusieurs années pour la constituer.

« On est pas en sécurité, j'ai dit. Bouge, sinon on va avoir un problème. »

Une fois au pick-up, j'ai pris un tournevis pour changer ma plaque minéralogique. La nouvelle, je l'avais gravée des années auparavant : elle correspondait au Ford d'un dentiste de Shreveport.

Ce qu'il fallait faire, c'était simplement prendre la I-10 et rouler vers l'ouest jusqu'à ce qu'on soit sortis de Louisiane. On aurait pu partir vers l'est, mais je ne suis pas le bienvenu dans l'État du Mississippi ; et en moins de quatre heures on peut être au Texas, ce qui me convenait mieux.

J'ai balancé mon sac de marin sur le plateau du pick-up. J'ai gardé derrière le siège le coffret et le dossier récupéré chez Sienkiewicz. Nous nous sommes fondus dans la circulation de l'autoroute.

« Alors, pourquoi est-ce que ces hommes voulaient te tuer ? a-t-elle demandé.

— Pour des conneries. Pour une femme. » J'ai tapé violemment contre le volant en me rendant compte à quel point ça me foutait en rogne. « Voilà ce qu'elle vaut, ma vie. »

Elle souhaitait que j'en dise davantage, mais je n'allais pas m'étendre. Je lui ai demandé comment elle en était arrivée à faire ce qu'elle faisait. J'avais déjà compris que c'était une pute, qu'elle et sa copine avaient été envoyées pour retenir Sienkiewicz chez lui.

Elle m'a dit : « T'as encore du sang sur la figure. »

Alors que je regardais dans le rétroviseur, elle m'a touché sous la mâchoire avec son petit doigt. « Là », a-t-elle dit.

J'ai essuyé la tache avec un peu de salive. L'autre face de la cassette était en train de jouer du Loretta Lynn, et je sentais vibrer d'une légère chaleur l'endroit de ma mâchoire que Rocky avait effleuré. Je faisais en sorte qu'elle n'arrête pas de parler parce qu'ainsi j'aurais moins de mal à traiter avec elle, et puis je ne voulais pas que son état de choc s'aggrave. Ou alors, je souhaitais simplement entendre la voix de quelqu'un. Je commençais à comprendre que j'étais mourant ; il est donc possible que j'aie désiré que quelqu'un me parle. J'ai dit : « Continue. Ce que tu disais.

— Quoi ?

— Comment tu en es arrivée là.

— Ah. Bon. » Elle m'avait déjà appris qu'elle était d'Orange, dans le Texas, juste à la frontière de la Louisiane, pas loin de Port Arthur où j'avais grandi. Elle prétendait avoir dix-huit ans. Elle disait s'être enfuie à peu près cinq mois auparavant pour suivre à La Nouvelle-Orléans un garçon qui avait quelques années de plus qu'elle.

« Toby. C'était un désastre. J'aurais pas pu me coller avec un mec plus nul. Il disait qu'il connaissait plein de

40

gens en ville qui nous donneraient du boulot. Il parlait comme s'il avait tout un tas de relations. Du fait qu'il était pédé, je croyais qu'il racontait pas de craques. Et puis tout ce qu'il a fait comme travail, en fin de compte, c'était transporter des petits paquets de dope pour d'autres autour de Saint Roch et du quartier du Lower Ninth. Jusqu'au jour où il a eu comme idée de l'*écrémer* un peu. Tu vois, de la couper. Pour se faire sa petite réserve à lui. J'ai passé un sale moment. Un jour, je l'ai plus vu. Il est pas revenu dans la chambre. Je savais pas s'il était mort ou s'il avait dû se tirer parce qu'il avait fait quelque chose. Mais il était plus là. »

Elle s'est gratté la lèvre et elle a regardé la nuit qui défilait à l'extérieur. Son visage tremblotait comme s'il allait se défaire, on aurait dit une feuille qui frissonne sous un grand vent. « Personne est jamais venu le chercher. À ce moment-là, j'avais ma dose. Mais j'étais aussi presque sans un centime, il m'avait rien laissé. Je connaissais une fille... » Elle s'est de nouveau interrompue, elle a frissonné un peu ; un spasme lui a parcouru la colonne vertébrale, et elle a posé sa main sur sa bouche.

« Quoi ? »

Son visage s'est tordu et elle s'est mise à pleurer. Elle s'est essuyé les yeux, elle a redressé les épaules. « Je connaissais une fille, Vonda, qui se trouvait dans le même hôtel. Elle m'a dit qu'elle bossait en indépendante. C'était, bon... Tu sais de quoi je parle. Je connaissais rien à ça, mais la façon dont Vonda en parlait... c'était marrant. Et puis ça semblait pas vraiment illégal puisqu'on le trouvait même dans l'annuaire. Elite Escorts. Comme une vraie entreprise. Et elle m'a dit : "Si tu fais quelque chose bien, ne le fais jamais gratuitement." C'est pas drôle, ça ? C'est presque logique, pas vrai ? »

Elle s'est tournée vers moi. « Tu sais, tu me fais penser à quelqu'un. Un mec dans un des groupes que mon beau-père aimait écouter. Les Almond Brothers. Un des mecs sur la pochette du disque. »

J'ai répondu : « Un des propriétaires d'Elite Escorts s'appelle Stan Ptitko. Tu l'as déjà rencontré ?

— Non. Je crois que j'ai dû entendre ce nom-là deux ou trois fois. Bon, je suis encore nouvelle. C'est qui ?

— C'est le mec qui a essayé de me faire buter ce soir.

— Oh.

— Tu parlais de ton amie. Vonda.

— Ouais... » Ses yeux se sont emplis de larmes dans lesquelles dansaient les lumières du tableau de bord. « Vonda a été bien avec moi. J'ai rencontré d'autres filles qu'elle connaissait. Ça s'est passé il y a vraiment pas longtemps. J'arrivais pas à payer le loyer. J'étais bien coincée. Mais... mais elle... » Elle a secoué la tête comme si elle niait une accusation, et elle a couvert sa bouche.

« C'était Vonda ? Dans la maison ? Dans la chambre ? »

Elle a fait oui de la tête, et ses petites épaules musclées ont tremblé très fort.

Je l'ai laissée trembler un moment.

Quand elle a été en mesure de parler, elle a continué : « Ils nous ont dit que ce serait facile. Rien que nous deux à nous faire ce mec-là. Mais il avait à peine commencé avec Vonda que les trois autres types ont débarqué en force. Quand ils sont entrés, Vonda se déshabillait – moi, j'avais pris plus de temps. Ils ont...

42

Ils l'ont pas laissée se rhabiller. Ils ont tapé un peu sur le mec, jusqu'à ce qu'il leur montre où se trouvait quelque chose. Et puis ils l'ont flingué.

» Mais Vonda, bon, elle était toute nue. Et toutes les deux, on flippait grave. J'avais jamais rien vu comme ça. Eux. Hmm. Eux… » Elle a de nouveau secoué la tête, serré fort son petit poing et l'a balancé contre sa cuisse plusieurs fois de suite. Elle avait de jolies jambes, et j'étais d'avis qu'elle ne devrait pas les endommager. « Eux, ils l'ont emmenée dans la chambre. Ils ont dit… ils m'ont fait asseoir. Ils ont dit qu'ils étaient, qu'ils étaient… » Elle s'est mise à bégayer fort quand elle a repris. « Ils ont dit que moi, ce serait pour la fête d'après. Oh, bon Dieu… Je… *Oh !* » Elle a grincé des dents et s'est tenu le ventre comme si elle avait reçu un coup de poing. « Je suis si contente, si *contente* que tu aies descendu ces salopards, *man !*

— Moi aussi, je suis content. »

Elle s'est frotté les yeux en appuyant fort avec la paume de la main. Elle avait une ossature fine, et même quand elle était bouleversée, il émanait d'elle quelque chose de dur qui était authentiquement de la campagne – un orgueil furieux et muet que je reconnaissais. Puis je me suis rendu compte d'un fait nouveau.

Je ne pensais plus à mon cancer depuis quelque temps. Qui plus est, je me sentais *bien*. Comme si j'étais une sorte de héros.

Comme si je l'avais sauvée.

Après j'ai réfléchi à la chance, au fait que j'avais tiré à la perfection. Quelle chance j'avais eue qu'ils n'aient pas trouvé le stylet et qu'il ne se soit pas déclenché quand ils m'avaient assommé et traîné jusqu'à l'entrée !

Laissant Rocky pleurer et s'enfoncer les ongles dans les cuisses, j'ai voulu lui accorder autant d'intimité que le permettait le pick-up. J'ai mis une cassette de Roy Orbison.

Selon les endroits que nous traversions, la nuit autour de nous prenait des teintes allant du noir d'encre jusqu'au rouge et au pourpre, en passant par un jaune délavé qui flottait comme une gaze devant les ténèbres – ce qui donnait l'impression de voir l'obscurité tapie sous la lumière – avant de revenir au noir d'encre. L'air changeait lui aussi d'odeurs, depuis le sel marin, la cellulose de pin et l'ammoniac, jusqu'au pétrole en train de brûler. Des arbres et des marais nous ont serrés de près, puis nous avons franchi le bassin d'Atchafalaya sur un pont très long suspendu au-dessus de ténèbres liquides, et j'ai pensé aux grandes densités de lianes des forêts de mon enfance, à ces épaisseurs vertes et feuillues remplies d'ombres où, me semblait-il, se cachait la moitié du monde.

Les tours des raffineries brûlaient dans la nuit, et leurs panaches de fumée d'un gris brillant m'ont rappelé Loraine assise sur cette plage de Galveston, la tête sur ma poitrine, pendant que je lui parlais des champs de coton. Je me suis demandé ce qu'elle aurait pensé de ce qui se passait maintenant.

Quelques années auparavant, j'avais payé quelqu'un pour la retrouver. Elle s'était mariée. J'avais encore son nouveau nom et son adresse quelque part, et de temps à autre je me disais que j'irais lui rendre visite. Mais ça remontait à dix ans, et j'avais toujours été trop vieux pour elle.

Près de Lafayette, Rocky s'est ressaisie, et son humeur a viré à une sorte d'excitation qui m'a alarmé. Ces brusques sautes d'humeur qu'on constate chez les femmes m'ont toujours paru suspectes, comme une mise en scène.

Elle a demandé : « Où est-ce qu'on va, maintenant ?

— Je te déposerai quand on sera au Texas. Je peux te laisser à Orange, si tu veux. Tu pourras retourner dans ta famille.

— Oh non. J'y retourne pas. Il vaut mieux que tu me laisses ici.

— Si c'est pas Orange, ce sera ailleurs. Mais tu restes avec moi jusqu'au Texas. Ces mecs-là vont te rechercher. Ils vont vouloir savoir ce qui s'est passé, là-bas. Tu sais ce que ça veut dire ? »

À sa façon de s'affaler de nouveau sur le siège, j'ai vu qu'elle avait commencé à comprendre à quel point les choses étaient désormais différentes. « Oh. »

Les lumières tombaient au hasard sur son visage, et elle avait les yeux qui luisaient comme le marais boueux au-dessous de nous. Elle s'est mordu la lèvre, l'air d'avoir une idée en tête.

« On n'a qu'à aller quelque part ensemble, a-t-elle dit.

— Comment ça ? »

Elle s'est tortillée d'un côté, s'animant en même temps qu'elle croisait les jambes sur le siège et que sa jupe remontait sur ses cuisses minces. « Écoute – tu disais à l'instant que t'es en fuite, pas vrai ? Et moi aussi – tu viens de le dire, pas vrai ? On est de la même région. Pourquoi est-ce qu'on resterait pas à fuir ensemble quelque temps ? Et puis on verrait comment ça se passe. »

J'ai senti une chaleur dans ma nuque et quelque chose qui se grippait dans ma gorge, mais je ne l'ai pas montré. J'ai jeté un coup d'œil sur ses jambes, sur ses cheveux blonds coupés de façon à dégager le cou, frisés en boucles duveteuses autour d'un visage bien dessiné, une sorte de figure d'oiseau avec de grands yeux dont je n'arrivais toujours pas à préciser la couleur. Elle avait remis du maquillage et encore une fois trop de mascara – pour se vieillir, je suppose, mais en réalité les gros pâtés sur ses cils lui donnaient vraiment l'air d'une gamine.

Sans doute le genre de nana qui pétait les plombs si elle n'avait pas de mec près d'elle.

« Tout ce que je veux dire, a-t-elle poursuivi en baissant les yeux, c'est que je me sentirais vraiment plus *en sécurité* si je pouvais rester un peu avec toi. »

J'ai secoué la tête. « Pas question. Non. Où est-ce qu'on irait, à ton avis ?

— J'sais pas, a-t-elle répondu avec un haussement d'épaules. Quelque part au bord du golfe ? Là où il y a des plages ? À Corpus Christi, peut-être ? Ou pourquoi pas complètement à l'ouest ? Hein ? En Californie. » Elle a eu un grand sourire, et j'ai peu apprécié sa façon de parler comme si on était en vacances.

« T'as quoi comme fric ? » lui ai-je demandé.

Elle a fait la grimace. « Moi ? Entre zéro et rien.

— Ah ! »

Elle a redressé les épaules. « Tu crois que je veux ta thune, pauvre bouseux ? Je peux en trouver sans problème. J'avais du fric à moi, mais il est là-bas. À La Nouvelle-Orléans. Tu m'as pas demandé si j'avais besoin de repasser par chez moi. C'est toi qui m'as kidnappée. » Elle a croisé les bras et s'est renfrognée – signes de cet orgueil idiot et vindicatif, forgé par des années passées à la dure. « J'ai pas besoin de ton foutu pognon.

— Dans ce cas, t'as pas besoin de moi, Rocky. Tu pourras disparaître beaucoup plus facilement si t'es pas liée à moi.

— C'est ça. *Disparaître.* » Elle a déplacé ses jambes et s'est remise face au pare-brise. « J'sais pas. J'ai pas vraiment envie d'être seule, OK ? Pour l'instant – je veux dire, étant donné tout ça –, j'ai pas vraiment envie d'être seule. D'accord ? »

Des lumières rouges ont surgi dans mon rétroviseur, chassant la nuit comme un coup de fusil ou un hurlement. Des sirènes. Rocky a eu le souffle coupé.

« Ça va aller », j'ai dit, mais mon cœur était sur le point de bondir hors de ma cage thoracique. J'ai arrêté la radio, j'ai freiné, et je me suis lentement rabattu vers le bord de la route. Rocky a ramené son sac à main sur ses genoux et l'a agrippé des deux mains.

« Ne les laisse pas nous choper, elle a dit d'une voix qui n'était ni douce ni apeurée, mais dure et sans compromis. Ne les laisse pas faire ça, *man.* »

Et au moment où je me rangeais sur le bas-côté, la voiture du flic nous a dépassés comme une flèche dans des rugissements de sirène et des éclairs de gyrophare. Cette vision a été l'une des plus belles de toute ma vie – ces lumières qui clignotaient, de plus en plus petites à mesure que le flic s'éloignait.

À ce moment-là, il n'y a plus eu d'autre bruit que celui de notre respiration. Les mains de Rocky ont relâché son sac, et on s'est mis à rire. Elle avait un rire strident, hystérique, qui lui ouvrait la bouche à la manière d'une trappe. J'ai attendu que les lumières du flic aient totalement disparu, puis j'ai remis le pick-up sur la route.

Pendant un moment, nous avons roulé en silence. « Il n'y a aucune bonne raison pour que nous restions ensemble », j'ai dit. Je ne savais pas pourquoi je revenais sur ce sujet.

Ce que j'en suis venu à comprendre plus tard, c'est que je lui demandais de me convaincre, de me donner un prétexte. Comme si une part de moi encore à créer voyait là sa chance de naître.

Elle m'a dit : « Et si c'était, je sais pas, moi, une question de solidarité ? On est comme complices, maintenant.

— Nos crimes sont très, très différents.

— Comme tu voudras. » Elle s'est remise face au pare-brise et elle a croisé les bras. Elle n'allait plus s'efforcer de me persuader, mais peut-être seulement parce qu'elle pouvait voir que je n'opposais pas une grande résistance.

Je lui ai demandé : « Dis-moi pourquoi tu veux pas aller à Orange. »

Elle a avancé le menton en répondant : « T'occupe pas de ça. J'ai mes raisons.

— T'as encore ta famille, là-bas ? »

Elle a levé les yeux au ciel et elle a dit : « Une partie.

— Tu peux pas aller chez eux ?

— On est pas proches. Ça va comme ça ? » Elle a serré le sac à main contre son ventre et sucé sa lèvre inférieure.

« Ton père et ta mère ?

— Mon beau-père. Dis-moi, tu vas continuer à fouiller là-dedans ? Allez. Qu'est-ce que t'en as à faire ?

— T'emballe pas. C'est juste ton beau-père ? »

La forêt ondulait autour de l'autoroute. Déformant sa mâchoire, Rocky a répondu : « Écoute, si je te parle

48

parce que tu m'y obliges, t'as aucun moyen de savoir si je te mens. Bon, alors, laisse tomber, d'accord ? Et puis, comment t'es arrivé à La Nouvelle-Orléans, toi ? »

J'ai mis la radio plus fort, et Rocky s'est calée sur son siège ; mais dans ma tête une réponse se mettait au point. Ma propre histoire m'avait toujours paru arbitraire.

J'avais travaillé pour Harper Robicheaux, à Beaumont, dès l'âge de dix-sept ans. Après sa mort en 77 à Breaux Bridge, en Louisiane, c'était Sam Gino qui avait investi dans l'affaire. Puis on a appelé Stan Ptitko pour gérer le bar. Plus tard, Sam Gino a disparu, mais ceux qui travaillaient avec lui ont encore tenu à m'employer. En ville. Voilà ma réponse pour ce qui était de comment j'étais arrivé à La Nouvelle-Orléans.

J'y ai réfléchi. Tout ça était vrai, mais l'histoire ne sonnait pas juste. Elle n'expliquait pas réellement quoi que ce soit.

J'avais dix-sept ans quand John Cady était rentré de Corée. Moins de deux ans plus tard, il tombait d'une tour de refroidissement, dans une des raffineries, et se cassait le cou, soûl avant midi. Je l'appelais papa, mais, quand j'ai été plus grand, j'ai trouvé plusieurs choses qui montraient assez nettement que ce n'était pas mon père : notre physique et la date de ma conception. Pourtant, il a toujours été gentil avec moi, même si nous ne nous sommes pas connus longtemps. À peu près un an après que nous l'avons enterré, Mary-Anne est tombée du pont. Elle préférait que je l'appelle Mary-Anne, plutôt que maman, qui, selon elle, donne dix ans de plus à une femme. On a dit qu'elle avait sauté du pont, mais je ne pense pas qu'on puisse croire les gens avec qui elle était. Ensuite, il y a eu le foyer pour ados, le couple Beidle et les champs de coton.

Et voilà que maintenant j'étais en train de mourir, et que l'importance de tout ce qui m'était arrivé jusqu'alors commençait à se fondre un peu dans les brumes.

Après trois heures de route, j'ai vu la ville de Lake Charles émerger et les lumières au-delà des arbres briller plus fort.

Rocky s'est redressée sur son siège. « Où est-ce qu'on s'arrête ce soir ? Jusqu'où on va ?

— J'ai pas décidé. Mon premier souci, c'était de dégager de là-bas. On dirait qu'on s'en est tirés.

— Je crois bien.

— Je me disais qu'il leur faudrait peut-être quelque temps avant qu'ils découvrent ce qui s'est passé, qu'ils le comprennent. Et puis quoi ? C'est pas comme si c'étaient les flics qui nous avaient repérés. Ils peuvent pas nous donner à la police sans se baiser eux-mêmes. Parce que ce mec, là, Stan Ptitko, on sait qui c'est. Il a pas envie que ça fasse du bruit.

— O.K.

— Donc, si on fait profil bas et qu'on continue à s'éloigner… Oui, on réussira sans doute à s'en tirer. »

Elle a hoché la tête. « Ce que je voulais savoir, c'est : est-ce qu'on va au Nouveau-Mexique, ou au Nevada, ou ailleurs ?

— J'sais pas. » Ni elle ni moi ne voulions remarquer que je ne discutais plus la présence de Rocky.

« Tu sais, si tu te coupais les cheveux et tu te rasais la barbe, je parie que personne te reconnaîtrait.

— J'en suis conscient.

— J'aurais bien envie d'un verre.

— Et moi de plusieurs. D'un pichet de whisky, du single malt, par exemple. »

Elle s'est tournée face à moi et elle a ramené ses genoux sur le siège. « Je commence à me sentir comme si jamais, de toute ma vie, j'avais eu autant besoin d'un verre.

— Bon, t'es encore jeune. »

Ses sourcils se sont arqués de façon espiègle, assez provocante sexuellement – trop, même. C'était un masque bien mince, parce qu'elle aussi paraissait fatiguée, assommée, près de s'effondrer, et vouloir combattre son état en faisant sautiller ses sourcils.

La cassette était terminée et les pneus bourdonnaient sur la chaussée. Nous étions presque sortis de la ville et nous approchions de Sulphur, où la longue suite de raffineries sur le rivage donne une impression de Chicago la nuit. J'ai pensé à deux endroits que je connaissais à Lake Charles. « T'as une pièce d'identité ? »

Elle a hoché la tête.

Il était légèrement irréel, un peu comme dans un rêve, le moment où la route a commencé à descendre et où les arbres se sont détachés les uns après les autres sous les réverbères jaune vif de l'avenue principale, Prien Lake Road.

J'ai trouvé un bar où j'étais allé plusieurs années auparavant : John's Barn. Assez petit, bas de plafond, il abritait trois tables de billard américain, et à l'époque il était bourré de grosses femmes et de mecs hargneux qui buvaient de la Miller Lite en attendant une bagarre. Lake Charles était l'un des lieux de la côte où l'on pouvait le plus facilement prendre une raclée. Et tous les endroits encore plus au sud étaient simplement des camps où la racaille blanche faisait régner sa terreur.

51

Nous avons fait le tour du parking en gravier et j'ai garé le pick-up dans l'ombre, sous quelques arbres du fond. Dans le bar, de la fumée ondoyait autour des boucles raides et hautes des cheveux des femmes ; on aurait dit du brouillard autour d'icebergs. Le drapeau national et celui de la confédération pendaient à un mur noir au-dessus d'un portrait de Ronald Reagan et de son héroïque coiffure. Quand j'ai entendu du Waylon passer dans le juke-box et des voix amicales bavarder, je me suis dit que ça irait.

Quelques clients nous ont regardés bizarrement parce que Rocky était assez jeune pour être ma fille. Mais elle l'était peut-être, comment le sauraient-ils ? Le barman avait redressé le col de sa chemise et arraché ses manches. Son regard a fait une dizaine d'allers-retours entre la pièce d'identité de Rocky et son visage.

J'ai commandé une bouteille de Budweiser et un petit verre de Johnnie Walker.

Rocky s'est dressée sur la pointe des pieds et elle a tapoté sur le comptoir. « Vous avez du jus de pamplemousse ? » Le barman a hoché la tête. Il avait une moustache fine qui ne paraissait pas en bonne santé et les cheveux aplatis, avec une raie comme un comptable. « Quel genre ? a demandé Rocky. Jaune ou rose ? »

Il a plongé le bras dans un frigo et il a soulevé une minuscule boîte. « Du jaune.

— Cool, a dit Rocky. Alors un salty-dog[1], double, avec beaucoup de sel. » C'était le genre de commande qui pouvait vous faire mal voir dans un bar comme celui-là, mais j'ai vu que Rocky lançait un sourire plein

---

1. Vodka et jus de pamplemousse servis dans un verre au bord enduit de sel. (N.d.T.)

soleil apte à dérider les sales gueules. En revanche, je n'ai pas tellement apprécié la façon dont le barman lui a souri.

Tous les clients au comptoir s'étaient arrêtés de parler pour nous regarder. Ils buvaient tous de la Budweiser ou de la Miller, et s'offusquaient probablement de quelque prétention dans notre commande. Il y avait peu de tables au milieu de la salle, et comme elles étaient toutes prises, nous sommes allés nous appuyer à une balustrade le long du mur du fond.

Il ne nous a guère fallu plus de cinq minutes pour finir nos verres.

Rocky a dit : « Encore quatre ou cinq comme ça, et peut-être je me sentirai bien.

— À qui le dis-tu. »

Elle a glissé vers moi son verre vide. « Tu pourrais me l'avancer ? Rien que pour ce soir ? »

J'ai fait oui de la tête. Mais en m'approchant du bar pour payer la tournée suivante, de vieux instincts commençaient déjà à me hérisser. La première règle de la prison, et la plus utile, c'est que tu dois purger ta propre peine, pas celle d'un autre.

Tout le monde m'a regardé passer ma commande, et le barman n'a pas préparé le salty-dog avec la même gaieté. Quand je suis retourné à notre table, il y avait, près de Rocky, deux garçons qui s'appuyaient sur des queues de billard et souriaient stupidement tandis qu'elle leur servait son sourire facile en remuant une cheville.

J'ai posé les verres sur la balustrade.

« Eh, a-t-elle fait, merci ! C'est Curtis, et c'est David. »

Ils étaient tous les deux maigres, décharnés. Ils portaient des casquettes de base-ball enfoncées sur ce

53

visage étroit et plat, aux petits yeux rapprochés, que j'ai toujours associé à la longue pratique de l'inceste dans le bayou. J'ai hoché la tête, conscient de l'amertume qui se peignait par moments sur leurs visages.

« Ils travaillent à Sulphur, dans les usines, a dit Rocky. Curtis fait du rodéo.

— Ouais, a confirmé l'un des deux en me tendant la main. Qu'est-ce que vous faites par ici ? »

Je lui ai serré la main. « Heureux de faire votre connaissance. » Puis je leur ai tourné le dos. Le visage de Rocky m'a indiqué qu'ils restaient derrière moi, et j'ai jeté un coup d'œil par-dessus mon épaule.

« Hé, a dit l'un d'eux, vous voulez jouer au billard ?

— Non, merci. » Je me suis retourné. « Vous, les mecs, du balai. »

Leur poitrine s'est gonflée d'indignation et leurs yeux se sont rétrécis en fentes, en blessures de poignard. Ils ont échangé des regards, puis ils ont dirigé vers moi leurs yeux minuscules et froids, aussi bêtes et noirs que ceux d'un poisson. Des gus comme eux, j'en avais connu toute ma vie, des abrutis de bouseux englués dans un ressentiment permanent. Ils torturent de petits animaux, puis, une fois adultes, battent leurs gosses à coups de ceinture, démolissent leur pick-up en conduisant bourrés, trouvent Jésus à l'âge de quarante ans, et se mettent alors à fréquenter l'église et les putes.

« Z'avez aucune raison d'être grossier, m'sieur. »

Rocky a dit : « Oh, les gars, je vous en prie. Vous en faites pas pour ça. Il est sympa, mon oncle. »

Ils ont échangé un coup d'œil tandis que je les fixais du regard, et j'ai senti la petite veine sur mon front battre à deux fois son rythme habituel. Puis ils ont cessé de vouloir me défier. Les garçons ont adressé à Rocky un hochement de tête qui se voulait un salut poli, et ils sont retournés à leur partie de billard d'un pas nonchalant, sans un regard en arrière.

« Oh ! là ! là ! *man*, qu'est-ce qui te prend ? »

J'ai bu une petite gorgée de mon Johnnie Walker. « On est pas là pour rencontrer des gens. Tu me comprends ?

— Bon, mais si t'avais démoli ces mecs, ç'aurait pas vraiment été faire profil bas. »

Je n'ai pas répondu, mais j'ai remarqué avec quelle facilité et quelle rapidité j'avais localisé la rage qui m'aurait peut-être permis d'estropier ces deux garçons.

C'était un peu mon problème. Ça l'avait toujours été.

Ça restait près de la surface, chez moi.

Mais ce n'était pas justifié, cette fois, étant donné la situation et qui était cette fille. Les garçons nous épiaient de la table de billard en parlant entre eux. J'ai bu lentement ma bière et contemplé longuement, sur le mur, une affiche des majorettes de l'équipe des Saints [1]. Rocky n'avait plus la même manière de me regarder : elle était devenue plus méfiante. La lumière du juke-box a inondé son visage et s'est fixée dans ses yeux. Je les ai examinés.

« Quoi ? a-t-elle dit.

— T'as les yeux verts. Je me posais la question.

— Ouah, *man*. T'es bizarre. »

J'ai allumé une cigarette. « Pourquoi tu leur as fait signe de venir ?

— Eh bien, j'allais leur demander une clope. Mais je prendrai juste une des tiennes. » Elle a plongé la main dans la poche de mon blouson et en a tiré un paquet

---

1. Équipe de football américain de La Nouvelle-Orléans. *(N.d.T.)*

de Camel. Elle a pris une cigarette et remis le paquet en place, mais cette séquence de gestes m'a paru à la fois très calculée et pas très pro.

« Tu me dis pas la vérité. »

Alors, essayant de me charmer : « Comment tu le sais ?

— Beaucoup de gens, quand ils mentent, ont les yeux qui sautent un tout petit peu vers la gauche.

— N'importe quoi.

— C'est vrai.

— Les miens ont pas fait ça.

— Bien sûr que si. »

Elle a ri et allumé sa cigarette. Ses yeux se sont fermés quand elle a pris une bouffée, puis elle a laissé la fumée ressortir lentement de sa bouche. Sa voix est revenue, plus grave, presque maussade. « T'as dit qu'il me fallait de l'argent, pas vrai ? Ce que je veux dire, c'est qu'on était d'accord là-dessus. »

Une mélodie désolée et nasillarde s'est frayé un chemin à travers les autres voix, tandis que le juke-box brillait d'un éclat rose et blanc derrière la fumée. « C'est assez minable. Sans vouloir te vexer. T'es vraiment jeune. On se dit qu'il te faudrait peut-être viser un peu plus haut professionnellement. »

Elle s'est approchée et elle a posé sa main sur mon poignet. Une chaleur diffuse, stimulante, s'est propagée le long de mon bras et dans mes épaules. « C'est pas que j'aime ça, *man*. Mais tout mon argent est resté en ville.

— T'aurais pu réussir à me le faire croire, mais t'en as trop rajouté. T'aurais pas dû poser ta main sur mon poignet. C'est trop. » Pourtant, je n'avais pas retiré ma main. Alors elle s'est reculée, et sa lèvre inférieure est tombée en tremblant légèrement.

J'ai terminé mon Johnnie Walker. « On va pas en faire un drame. Mais essaye plus de me la jouer. Y a rien de bon pour toi sur cette voie-là. »

Elle a croisé les bras et serré les dents ; elle commençait à se construire une jolie petite forteresse d'indignation, mais je l'ai stoppée avant qu'elle puisse dire quelque chose. « Du calme. Arrête, c'est tout. Arrête de jouer à la petite poupée et de faire ces sortes d'avances. D'accord ? Et alors je te raconterai pas de conneries. » J'ai posé ma bouteille de bière, et les lèvres de Rocky se sont détendues en une jolie moue hargneuse, déconcertée. Elle a tapé du pied. J'ai poursuivi : « Écoute. Je t'offre quelque chose, et tu peux me croire, c'est beaucoup plus que ce que la plupart des gens obtiennent de moi. Ce que je te dis, c'est : Joue franc-jeu avec moi. N'essaye pas de me rouler, et je serai réglo avec toi. Si j'ai pas confiance en toi, tu viendras pas avec moi. »

Elle a tiré une bouffée, une seule, de sa cigarette, d'un air de défi. « Alors, tu y as réfléchi ? On peut se planquer ensemble ?

— Peut-être. Mais pas pour longtemps. Il faut que tu sois franche avec moi.

— À propos de quoi ?

— À propos de qui tu es.

— D'accord. Vas-y le premier. » Elle a avancé le menton, soufflé de la fumée puis écarté la cigarette de son visage. « Qui es-tu ? »

J'ai haussé les épaules. « Je suis le mec qui vient collecter les dettes. » J'ai terminé ma Bud d'un long trait et j'ai écrasé ma cigarette. « Et puis, ce matin, j'ai découvert que j'étais en train de mourir du cancer.

— Je crois… Attends. Qu'est-ce que t'as dit ?

— Ce matin.

— Tu… C'est vrai ? »

J'ai hoché la tête. Et, avec un gloussement : « T'es la première personne à qui je le dis.

— Oh, bon Dieu. Je suis réellement désolée. J'avais une tante… Attends. C'est vrai ? Vraiment, tu me dis la vérité ?

— Regarde-moi en face. » Elle l'a fait. « J'ai les poumons pleins de merde et je vais crever bientôt. Je l'ai appris ce matin.

— Oh, *man* ! J'avais une tante qui a eu le cancer. Ça l'a bouffée. Elle ressemblait à un morceau de viande avec plein de nerfs.

— J'ai pas envie d'en parler. Et je veux pas non plus que tu m'y fasses penser. Tu me connaîtras pas assez longtemps pour que ça t'intéresse. » J'ai allumé une autre cigarette. En me voyant faire, Rocky a écarquillé les yeux.

« Eh, tu vas pas… »

J'ai laissé partir un rond de fumée. « Pourquoi arrêter maintenant ?

— Waouh ! Bravo, *man*. »

Un soûlot qui avait des cicatrices de brûlures sur le cou a surgi entre nous, et il a approuvé, hochant la tête d'un air lubrique avant de heurter en titubant la porte des toilettes. Rocky m'a dit : « T'as pas… une copine ? De la famille, ou quelqu'un ? Quelqu'un à qui tu devrais en parler ?

— Non. Et qu'est-ce que je viens de te dire à propos de m'y faire penser ?

— Mes excuses. Oh, merde. » Elle est partie toute seule d'un rire presque silencieux. Son visage s'épanouissait quand elle riait, et ses yeux se plissaient et pétillaient.

J'ai dit : « Quoi ?

— Cette journée, pour toi, a dû être une journée d'enfer, non ?

— L'enfer total. »

J'ai pensé à la maison de Sienkiewicz, aux hommes dans l'entrée, au crâne d'Angelo – mais surtout à la vitesse avec laquelle j'avais réagi, à la fluidité sans faille de mes pensées et de mes gestes. Comme si la certitude de la mort avait brûlé tout le superflu, m'avait rendu plus rapide et plus pur – ce qu'elle faisait pour les cow-boys et les bretteurs dans les films que je préférais.

Et donc à ce moment-là, avec elle dans le bar, je me suis senti changer et devenir quelqu'un de différent. Elle a secoué les glaçons qui fondaient dans son verre. « Tu veux faire quoi ? » m'a-t-elle demandé.

J'ai fait tourner ma bouteille sur la balustrade et j'ai regardé glisser les gouttes de condensation. « Et si on se soûlait ?

— Super. »

Je suis allé au comptoir et je suis revenu avec d'autres verres. Rocky était seule, mais les garçons au billard gardaient encore un œil sur elle.

On a trinqué. Elle a dit : « Mais ensuite, quoi ? Après ? »

J'ai haussé les épaules. « Demain, on continue. » Les choses ne me paraissaient plus aussi dangereuses. Comme si j'étais protégé, si j'avais la baraka. Je me sentais tellement lucide, tellement conscient que je pouvais presque détecter chaque atome de fumée qui roulait sur ma peau comme du gravier concassé.

59

Elle buvait son verre à petites gorgées, et les coins de sa bouche se recourbaient, formant deux fossettes sur ses joues. Dans son sourire étincelait le danger de se laisser emporter par la vitesse, de foncer sans plan.

Mais je n'avais pas besoin de plan, le mouvement suffisait. Comme le plus pur des assassins, j'étais déjà mort.

C'EST SURTOUT AU MOMENT OÙ NOUS AVONS QUITTÉ LE BAR que les gens nous ont regardés avec insistance. Ce qu'ils s'imaginaient tous que nous allions faire ne leur plaisait pas – un homme comme moi avec une fille comme elle. Je plissais les yeux en regardant à travers le pare-brise tandis que la tête de Rocky n'arrêtait pas de retomber sur ses épaules. Je suis passé au-dessous de l'autoroute dans des quartiers où, je le savais, se trouvaient quelques hôtels. Mais, j'ignore pourquoi, ils m'ont tous paru trop brillants, et j'ai donc continué vers le sud-est jusqu'à la partie noire de la ville, où j'ai pris et payé une chambre de motel qui donnait sur un parking abandonné et une galerie marchande aux boutiques fermées par des planches. Le motel s'appelait le Starliter. J'ai payé en liquide, et la vieille derrière le comptoir – elle était presque chauve et prisait du tabac – n'a pas demandé de papiers d'identité. Elle m'a rappelé Matilda, la femme qui faisait la cuisine au foyer, qui nous préparait du boudin et des œufs en poudre.

La chambre n'avait qu'un lit, très grand, et le climatiseur faisait trembler les vitres de la fenêtre. Rocky est allée dans la salle de bains pendant que je retirais mes bottes, que je mettais mon pistolet dans l'une d'elles et que je les rangeais sous le lit avec le coffret. J'ai ôté mon blouson et ma ceinture, et je me suis affalé dans l'unique fauteuil, les pieds à plat et les yeux fermés en direction du plafond, laissant le monde tourner et résoudre ses problèmes.

La porte de la salle de bains a grincé et j'ai entrouvert un tout petit peu les yeux. Rocky est sortie en culotte, avec un haut qui lui laissait les bras et le dos nus. Ses cheveux courts, mouillés, étaient lissés en arrière. La lampe de la salle de bains l'éclairait comme une pin-up de magazine plutôt classe. Elle a mis le reste de ses vêtements pliés sous son sac dans un coin, et j'ai gardé les yeux plissés pour me donner l'air de somnoler. Elle s'est approchée de moi. J'ai pu la sentir – une odeur musquée et fleurie.

Elle m'a posé la main sur l'épaule. « Roy ? »

J'ai ouvert les yeux. Elle avait une culotte bleu ciel avec un cordon sur les côtés, et ses hanches s'en détachaient nettement. Je me suis retrouvé les yeux juste devant le monticule entre ses jambes. Elle a fait bouger très légèrement ses doigts sur mon épaule. « Tu viens au lit ?

— J'suis bien ici.

— Pas de problème. Tu peux venir. »

Je me suis redressé et j'ai cligné des yeux comme si je me remettais les idées en place. Son visage penché sur moi ressemblait un peu à celui d'un renard et me montrait des lèvres entrouvertes et humides.

« Il y a encore autre chose, ai-je dit. Ce dont on a parlé dans le bar. Le fait de jouer franc-jeu. Ne te balade pas en petite culotte devant moi. Ne fais pas ce genre de truc. Je veux pas.

— Pourquoi ? a-t-elle demandé tandis que son autre main se glissait le long de sa cuisse pour venir caresser son ventre plat. À cause de ce qui s'est passé aujourd'hui ? Tu m'aimes pas ?

— Je te préviens, c'est tout. Arrête. »

Elle a reculé vers le lit. « D'accord. » Et quand elle a grimpé dans le lit, son cul est resté un instant en surplomb, étroit, rond et fendu, comme une pêche, le genre de cul sur lequel fantasment pratiquement tous les Blancs que je connais, y compris moi-même. Les triangles de soie laissaient dépasser un peu la chair de ses fesses, et rien, chez elle, n'était ridé ni ne ballottait. En me soûlant, je m'étais mis à penser à Carmen ; et à Loraine, à me demander si elle avait divorcé. Rocky était plus jolie qu'elles, et, pour moi comme pour la plupart des hommes, l'idée d'un acte sexuel avec une femme jeune impliquait une certaine sensation d'immortalité. Néanmoins, chez moi, l'idée ne prenait pas. Rocky s'est installée sous les draps tandis que le climatiseur cliquetait et tremblait, et que l'air froid me descendait dans les bronches.

Elle a parlé doucement en restant tournée vers le mur. « Tu peux venir dormir ici si tu veux. Tu devrais dormir dans le lit. Je ferai rien. »

Elle avait entassé les couvertures sur elle. Je me suis levé, et quand je me suis mis sur le lit, le matelas s'est creusé en grinçant. Je me suis allongé sur le dos, les mains jointes sur le ventre. Le corps pelotonné de Rocky, toujours contracté et tourné dans l'autre direction, s'est à peine rapproché de moi.

Dans le boucan du climatiseur, j'ai fermé les yeux, et j'ai senti peu à peu la respiration de Rocky prendre un rythme lent et profond. J'ai commencé à penser, dans l'obscurité, à cet homme dont j'avais visité l'appartement la veille, celui qui avait des bulletins de courses, des bouteilles vides, et la photo d'une femme et d'un enfant. Il n'aurait plus à s'inquiéter de me revoir.

Je me suis demandé ce qu'il allait faire du temps qui lui était prêté.

Je me suis demandé s'il allait s'enfuir.

LE LENDEMAIN MATIN, ROCKY RONFLAIT DOUCEMENT à côté de moi, et ses jambes incendiaires avaient rejeté les couvertures. Sa culotte usée, toute mince, lui collait aux fesses ; un fil se défaisait. Je me suis réveillé en pensant à Mary-Anne. Ma mère avait des cheveux blond vénitien, un visage aux os puissants, à la fois joli et frappant, et quand elle ne se maquillait pas elle avait des cernes très foncés, comme ceux d'un raton laveur – son seul défaut, mais il donnait de la profondeur à son visage, et ses yeux fouillaient tout comme s'ils cherchaient de la verroterie. Elle n'était pas trop fidèle à John Cady. C'était évident, et plus tard j'en suis venu à penser que ça ne devait pas le gêner beaucoup.

Parfois, à la maison, elle restait assise à la table de la cuisine, le menton posé sur sa main, à écouter des disques de Hank Williams. En buvant du punch au rhum jusqu'à ce que ses yeux deviennent fixes et comme teintés de quelque chose de lascif. Elle avait alors envie que je danse avec elle. Comme j'ai toujours été grand, elle pouvait poser sa tête sur mon épaule. Le ventilateur, en cliquetant, soufflait sur moi un air tiède qui portait les odeurs de ma mère – sa transpiration, son savon –, et la peau de ses bras collait légèrement à mon cou.

Ces soirs-là, il lui arrivait de me raconter une histoire. Elle parlait de la période qui m'avait précédé, quand elle travaillait à Beaumont pour un certain Harper Robicheaux qui tenait une boîte de nuit. Elle aimait parler de lui. C'était un personnage important qui avait été bon avec elle, et elle évoquait l'époque où elle chantait dans le night-club, où elle portait de longues robes à paillettes et fumait avec un porte-cigarette en ébène. Quand elle racontait, elle pouvait se mettre à chanter, et il est vrai qu'elle avait une voix riche, tremblante, qui était presque trop basse et trop rauque pour une femme. Elle chantait des airs de Patsy Cline ou de Jean Shepherd, mais quand elle s'arrêtait elle avait un sourire forcé qui ressemblait à un numéro un peu triste et m'effrayait presque.

Elle n'a plus jamais été bien après que John Cady est tombé de sa tour de refroidissement, et elle s'est mise à traîner avec des gens que je ne connaissais pas.

Son corps a été rejeté sur le rivage de Rabbit Island, ce bout de forêt vide au milieu du lac Prien où l'autoroute I-10 s'arque au-dessus des eaux.

Quand je me suis réveillé, ces souvenirs de Mary-Anne étaient presque remontés à la surface. La lumière du jour, humide et sinistre, filtrait comme une grisaille par la fenêtre de notre chambre du Starliter. Je ne me sentais plus du tout comme le soir précédent. Toute cette certitude et ce sentiment d'avoir la chance avec moi semblaient avoir disparu.

Les murs froids de la chambre parlaient d'une promesse non tenue. De vieux espoirs aboyaient en moi

comme des chiens fantômes – juste les vieilles frustra-
tions, les vieux ressentiments –, et j'étais furieux de les
trouver sur mes talons ce matin, de voir qu'ils m'avaient
poursuivi pendant tant d'années.

Je me suis levé pour fumer, laissant Rocky pelotonnée
sur le lit. Un pin brisé se dressait au-dessus du parking
et marquait le début d'un terrain herbeux qui finissait
en ravin peu profond rempli de bouteilles cassées et
de sacs-poubelle crevés. Le soleil n'avait pas tout à fait
dépassé l'horizon. Une lumière nacrée envahissait le
ciel, faisait surgir quelques ombres de la peinture
blanche écaillée du motel, et révélait une tache d'humidité qui suivait tout le bâtiment en forme de U. Des
fentes dessinaient une carte sur toute la chaussée,
jusqu'aux bords où l'asphalte se fracturait en petits
morceaux.

Le temps m'a paru hostile : l'air lourd, chaud et grave-
leux comme des braises, m'oppressait à la manière
d'une langue géante. J'ai pensé à Stan et à Carmen, et je
me suis demandé si elle avait été avertie de ce qu'il avait
tenté contre moi.

D'une chiquenaude, j'ai balancé le reste de ma cigarette et je suis rentré.

La douche sifflait derrière la porte fermée, et le lit
vide était en désordre. Je me suis assis au bord, fermant
fort les poings pour arrêter la tremblote du matin.

Elle a poussé la porte, enveloppée de la poitrine aux
cuisses dans une serviette blanche. Ses cheveux lissés en
arrière isolaient son visage comme si un spot était
braqué sur lui. « Salut, a-t-elle dit. Je vais mettre des
vêtements – il faut seulement que je les attrape. Je joue
à rien. » Son ton penaud m'a irrité.

« Qu'est-ce que tu racontes ?

— Quoi ?

— Tu essayes de me dire que quelque chose tourne pas rond chez moi parce que je veux pas te baiser ?

— Non. Non…

— Je te laisse ici.

— Quoi ?

— J'en ai assez de ces trucs de petite poupée, de tes viens-me-voir à la con.

— Qu'est-ce qui te prend, *man* ? »

Je me suis levé, et elle a reculé vers la salle de bains, ses vêtements dans les mains. « Arrête, *man*. T'as l'air – t'as le même air que quand tu regardais les garçons, hier soir.

— Il va te falloir appeler quelqu'un. Je vais te laisser quelques dollars. »

Son visage montrait sa peur, mais ses cheveux tirés en arrière lui donnaient un air innocent, irréprochable. J'ai contemplé mes bottes, j'ai déplié et replié les doigts.

« Écoute, a-t-elle dit, j'ai réfléchi. Beaucoup. À ce que t'as dit hier soir. Tu vas avoir besoin de quelqu'un, Roy. J'ai vu comment ils deviennent, les gens malades.

— Sur ce sujet, ferme-la.

— D'accord. Écoute. Mais il y a ce que t'as dit hier soir. Et puis on arrive ici et je fais ce truc-là. Je m'excuse vraiment pour ça. Je sais pas ce qui s'est passé. C'est juste qu'on avait bu, je suppose. La façon dont tu m'as parlé… Mais je l'apprécie, Roy, la façon dont tu m'as parlé hier soir. »

Je me suis regardé dans le miroir. Mes narines blanches, les rides sur mon front creusé et vidé de toute couleur.

« Je veux te dire que j'apprécie vraiment. Tout. Tout ce que tu as fait. T'aurais pu faire tout ce que tu voulais avec moi, mais tu m'as aidée. Alors que j'essayais de t'entourlouper – je sais même pas pourquoi. Et tu m'as parlé vraiment bien. C'est à ça que je pensais là-dedans, Roy. »

À mesure qu'elle parlait, cette obscure fierté de la nuit précédente, cette sensation d'héroïsme remuait de nouveau en moi. Rocky s'est ensuite assise sur le lit. Elle a mis les vêtements contre sa poitrine, et ajouté : « Je pensais à toi, aussi. À ce qui t'arrive. C'est pas pour te le rappeler. Non, pas du tout. Mais écoute. Je sais que t'as pas besoin de moi avec toi, Roy. Je le sais. Mais je crois – les choses étant ce qu'elles sont –, je crois que tu pourrais en avoir besoin. Un jour ou l'autre. Je me dis que tu pourrais avoir une amie qui t'aiderait, qui ferait des choses pour toi quand t'en auras besoin. » Se tournant vers le mur, elle a resserré un peu la serviette. « Tout ce que je dis, c'est au cas où on en arriverait là et que tu aurais besoin de quelqu'un. Tu veux qu'on joue franc-jeu, t'as dit – eh bien, je le ferai. Je te mentirai pas. Je *peux* payer ma part. Et si quelqu'un me cherche, je t'aurai pour m'aider. Et si tu vas mal, ou même, tu sais de quoi je parle, tu m'auras pour t'aider. »

J'ai rouvert mes mains et j'ai agrippé mes genoux ; j'ai senti mon visage se détendre. Nous formions un couple peu probable, dans le miroir de cet hôtel. « D'accord, Rocky. On verra comment ça marche. Pendant un petit moment. » J'ai laissé pendre ma tête et j'ai pris une grande inspiration. « Et puis commence à m'appeler John. C'est mon nouveau nom. » Mes nouveaux papiers disent que je m'appelle John Robicheaux.

— Tu peux compter sur moi, John. » Elle s'est levée, elle s'est dirigée vers la salle de bains et s'est arrêtée à la porte. « Et je peux compter sur toi. »

LA PREMIÈRE CHOSE QUE J'AI FAITE, après avoir quitté le Star-liter, a été d'acheter le journal, le *Times-Picayune*, et une boîte de beignets dans un magasin Kroger ; puis Rocky et moi sommes restés dans le parking pour les manger en buvant du café tandis que je regardais le journal.

Je l'ai parcouru de la première à la dernière page, mais on ne mentionnait pas de meurtre à Jefferson Heights, et quand j'y ai réfléchi je me suis dit que le seul bruit avait été celui des deux détonations de mon pistolet, et que ce bruit-là avait pu être suffisamment étouffé par les vieux murs en plâtre pour se fondre dans le brouhaha de la ville. À moins que des gens ne l'aient entendu mais que personne ne s'en soit soucié. Dans les deux cas, Stan aurait nettoyé les lieux.

« J'ai jamais vu quelqu'un mettre autant de sucre dans le café. Ça fait presque la moitié de la tasse », a dit Rocky.

J'ai posé mon gobelet sur le tableau de bord et j'ai plongé le bras sous le siège pour prendre la chemise en kraft bourrée de papiers. Le sang sur les pages avait séché et pris une couleur de rouille. J'ai ouvert la chemise au-dessus du journal. Des manifestes. Des listes

71

de conteneurs de cargos perdus. Des listes de paiements. Une longue attestation signée par Sienkiewicz. Le nom Ptitko écrit en cursive. *Ptitko* partout.

« C'est quoi ? » a demandé Rocky en se bourrant les joues de beignet.

J'ai refermé le dossier et je l'ai replacé sous le siège. « J'sais pas encore. »

J'ai roulé jusqu'à une banque Hibernia où j'ai vidé mon compte courant : six cents dollars ajoutés à mes trois mille. Rocky était assez excitée de tenir les billets dans ses mains. Ses cheveux, en séchant, formaient comme un duvet blond avec du volume, presque dans le style punk rock.

La beauté lui venait facilement. D'un certain côté, c'était réconfortant. Ce qu'un joli visage peut avoir d'apaisant, disons.

Direction l'ouest, sur la I-10. Rocky a trouvé une cassette de Patsy Cline et s'est mise à chanter doucement pour l'accompagner. J'ai failli lui demander d'arrêter à cause de ce que cela m'évoquait, mais je me suis abstenu. La terre que nous traversions, comme une tablette d'argile brisée, se fragmentait en îles couvertes d'herbe, tandis que des eaux sombres et boueuses s'étendaient au loin, dans le sud, jusqu'au golfe. Le soleil faisait jaillir un feu blanc sur les rides de l'eau et les hauts-fonds boueux.

Nous avons traversé Sulphur et les raffineries de pétrole, un royaume de canalisations, de béton et d'odeurs infectes. Rocky s'est arrêtée de chanter et elle a éteint la radio.

« Roy ? Tu voudrais pas nous emmener jusqu'à Orange ? Comme tu l'avais dit ? »

— Quoi ? Pourquoi ? » Ma voix était presque fêlée.
« Tu veux que je te dépose ? »

Elle a secoué la tête. « Non. Je maintiens ce que je t'ai
dit ce matin. Chaque mot. Mais j'ai aussi parlé de payer
ma part. Je peux aller chercher de l'argent.

— À Orange, au Texas ?

— Oui.

— Comment ça ? »

Elle a fixé le pare-brise en plissant les yeux, puis elle
s'est tournée pour regarder les cyprès brisés qui défilaient comme des os marron émergeant de la boue.
« T'en fais pas pour ça. Quelqu'un me doit de l'argent.
Vas-y, arrête-toi à Orange pendant quelques minutes.

— Maintenant, tu veux aller à Orange ?

— Puisqu'on est sur la I-10. Ça change rien.

— Qui est-ce que tu vas voir ?

— Un mec, là, qui me doit de la thune. J'y ai juste
pensé ce matin.

— Tu crois qu'il va te payer comme ça ?

— Il me paiera. Là-dessus, j'ai pas le moindre
doute. »

Sa voix avait baissé d'un cran et son regard était fortement concentré. J'ai réfléchi un instant. « Tu comptes
sur moi pour aller lui parler, c'est ça ? Je suis censé aller
chercher le fric pour toi. C'est moi ta force de frappe,
maintenant ?

— Non.

— Non ?

— No-on ! Je te demande rien de plus que de m'y
conduire. »

J'ai remué tout ça dans ma tête. « Eh bien, d'accord.

73

— Tu le ferais, si je te le demandais ? Si je t'avais demandé d'aller récupérer le fric pour moi, tu crois que tu l'aurais fait ? »

J'ai serré le volant et, en m'adressant une grimace : « Oui, peut-être.

— Pas de problème. J'ai pas besoin que tu le fasses. Merci quand même. » Les formes grêles d'arbres nus et tordus faisaient penser à des troncs cérébraux, et les grands hérons que j'ai vus perchés sur un cyprès qui étalait ses branches semblaient suivre le pick-up de leur bec. En triturant le tissu de son sac, Rocky a dit : « Je lui parlerai toute seule.

— C'est sans danger ?

— Oui, sûr, c'est sans danger.

— Tu veux vraiment courir le risque ? On a du fric. En fait, je ne voulais pas dire ce que je t'ai dit tout à l'heure. T'es pas obligée d'aller chercher de l'argent tout de suite. Quand on arrivera là où on va, on trouvera un moyen.

— Non. Ça va. Cette affaire-là, c'est une obligation. J'ai fait une promesse. » Elle regardait par la vitre avec un air réservé, froid et pragmatique que je n'avais pas encore vu chez elle.

« Est-ce que tu voudrais bien me dire de quoi tu parles ? »

Elle a fait pivoter sa tête sur son épaule. « Je te le dirai si tu me le demandes, parce que je l'ai promis. Mais je préférerais vraiment que tu me le demandes pas. »

Un panneau vert indiquait Orange à treize kilomètres. « Eh bien, d'accord, j'ai dit. Plus ou moins. »

Elle a serré les doigts sur son sac et poussé un soupir. Tout cet univers de vignes kudzu, d'arbres squelettiques et d'eau noire paraissait avoir un sens pour elle, de même qu'il m'évoquait bien des choses, et elle continuait à regarder dehors avec l'air de quelqu'un qui abdique. La pesanteur du paysage nous ramenait tous les deux à une époque passée, et nous étions hantés par des gens que nous avions eu l'habitude de voir.

Nous avons dépassé une petite rue principale bordée de fast-foods miteux, une station-service, une coopérative de crédit. De mauvaises herbes très hautes. Rocky a dit : « Le Tastee Freez. C'est là qu'on allait tous. » Mais ce n'était pas vraiment à moi qu'elle parlait.

Toute plate, la prairie devenait au loin une lame de couteau dressée vers le ciel sous la pression des arbres buissonnants qui la bordaient. Une odeur d'ammoniac et de bois mouillé nous arrivait par bouffées. L'air, dans cette région, est si brillant qu'il concentre la lumière et qu'on est obligé de plisser les yeux même quand on regarde par terre.

Rocky m'a guidé, me disant où tourner deux ou trois fois ; puis les quartiers ont été plus clairsemés, les habitations plus éloignées de la route, plus délabrées, à l'ombre de saules et de chênes aux branches tombantes. Dans ce climat, tout recherche l'ombre et, par conséquent, l'un des caractères du Sud profond est que tout y est en partie caché.

Elle nous a dirigés vers le sud-ouest où, dépassant des caravanes couvertes de croûtes de rouille, nous sommes entrés dans des vallons parsemés de plantes grimpantes. Encore une station-service avec, en devanture, des blocs de pierre brisés là où on avait arraché les pompes ; les fenêtres n'avaient plus de vitres et tout était pratiquement recouvert par des mauvaises herbes et du kudzu. Nous sommes passés devant le terrain de football américain de l'école secondaire, et, au moment où nous quittions les limites de la ville, un panneau noir posté à quelque distance de la route proclamait en lettres blanches : L'ENFER EXISTE.

Alors que nous étions engloutis dans cette cambrousse après avoir laissé derrière nous l'ultime parc à mobil-homes, Rocky m'a demandé de m'arrêter à une cinquantaine de mètres d'une cabane en bois située tout près d'une forêt dont la végétation consistait en buissons enchevêtrés. L'herbe avait été brûlée par le soleil jusqu'à prendre la couleur du blé. La cabane était à peu près de la taille d'un abri de chasseurs vieux et miteux. Un chauffe-eau rouillé reposait contre un mur, et un punching-ball gonflable en forme de clown, au vinyle taché de moisissures, dépassait des hautes herbes. Des plantes brunes grimpaient sur la maison, et une des fenêtres avait été bourrée de papier journal. Une Chevrolet morte était posée sur des cales. L'herbe la recouvrait comme si le pré la digérait lentement. Un petit appentis en tôle partait en biais en direction de la forêt. Il y avait l'inévitable porte-écran déchirée. Le tout ressemblait à l'un de ces endroits que les bikers gardent pour y préparer leurs amphètes.

Nous sommes restés là, le moteur au ralenti. Le soleil blanchissait les champs, et il n'y avait rien d'autre autour de nous que le grand air devenu brûlant. Rocky a serré son sac entre ses mains, et elle a fixé la petite cabane comme si elle pouvait la réduire en miettes avec ses yeux.

Je lui ai dit : « T'es bien sûre ? Pourquoi est-ce que j'irais pas avec toi ? Je resterai debout sans rien dire. Crois-moi, d'habitude ça suffit.

— Non. Merci. On va rien me faire. » Mais elle semblait parler à quelqu'un qui aurait été à l'extérieur

76

de la voiture, de son côté. « Il vaut mieux que je sois seule.

— Comme tu voudras », j'ai dit. Mais elle n'a pas bougé, et nous sommes restés là une minute de plus. L'herbe était si sèche qu'elle crépitait sous la brise. « T'as qu'à crier s'il se passe quelque chose. J'arriverai en courant. »

Elle a ouvert la portière et elle est sortie. « Donne-moi dix minutes, à peu près.

— Tu es sûre qu'il y a quelqu'un ?

— Bien sûr qu'il est là. Il va nulle part. Les gens viennent le voir s'ils veulent. » Elle a fermé la portière et elle est descendue avec précaution dans le fossé en tenant son sac à main sous le bras. Puis elle a traversé une cour en désordre où des boîtes de bière en aluminium miroitaient au milieu des quelques plaques de gazon. Le pré était si lumineux que Rocky paraissait très petite et très seule. Sa silhouette rétrécissait à mesure qu'elle s'approchait de la maison. Elle a suivi la rangée d'arbres et, au lieu de passer par la porte de devant, elle a fait le tour de la cabane, disparaissant sur le côté. Seuls des pépiements d'animaux et des bruissements secs troublaient le silence.

J'ai ressorti le dossier en papier kraft et je l'ai rouvert. Je supposais que Sienkiewicz avait cru que ces documents pouvaient lui servir de protection. J'ai réfléchi à des possibilités d'extorsion. Mais ça n'avait pas grand sens parce que, avec ce qui allait me tomber dessus, je n'étais pas en position de faire du chantage ni de procéder à un échange.

La maison était calme : pas de bruit ni de signe de vie. Ses planches étaient aussi décolorées et érodées que la prairie tout autour.

Un bruit sec caractéristique a retenti dans l'air. Un coup de feu.

J'ai regardé autour de moi, mais le chemin de terre qui montait dans mon dos à flanc de colline était vide. Peut-être quelqu'un qui chassait des écureuils ou des tourterelles par ici ? Rien ne bougeait en provenance de la maison.

J'ai bondi hors du pick-up, mon colt à la main. Sautant par-dessus le fossé, j'ai couru vers la maison à petites foulées. Mais mes bottes ont glissé dans de la boue et je suis tombé à genoux. J'ai ramassé le pistolet et j'ai couru de nouveau en respirant bruyamment, trempé sous cette chaleur. J'étais à mi-chemin de la maison quand Rocky est sortie par la porte de devant. Plié en deux, j'ai tenté de reprendre souffle. Quand je me suis redressé, elle était plus près et j'ai été saisi d'horreur.

Rocky conduisait une petite fille en direction du pick-up, une petite fille blonde.

J'ai pivoté sur mes talons et piqué un sprint pour rejoindre le Ford. Elle a crié dans mon dos : « Roy ! Roy, attends !

— Attends toi-même ! » ai-je hurlé, actionnant mes jambes à toute vitesse tandis que mes bottes dérapaient sur l'herbe glissante. J'ai claqué la portière du pick-up et, comme le moteur a tourné deux ou trois fois avant de se mettre en marche, j'ai pu voir Rocky, paniquée, qui s'efforçait de courir dans le pré : elle avait deux sacs sur le dos et tirait la petite fille tout en me lançant des cris. Elles étaient parvenues au fossé lorsque j'ai écrasé la pédale d'accélérateur. Le pick-up a envoyé une gerbe de gravier et de terre, et, en chassant, regagné le chemin.

Le moteur rugissait. Dans le rétroviseur, je les voyais toutes les deux sur la route : Rocky était en train d'agiter la main quand une montagne de poussière les a englouties.

Devant moi, la route de terre compacte semblait mener à des forêts plus profondes, carrément à des régions sauvages, voire à l'eau. J'ai tenté de me souvenir du dernier lieu de civilisation avant cette cabane pour savoir combien de temps elles devraient marcher.

J'ai commencé à ralentir.

Je me suis dit que je les virerais. Que je les larguerais. Mais d'abord je la conduirais quelque part, je lui donnerais un peu de fric.

Quand je suis revenu, elles étaient debout au bord du chemin, leurs sacs à leurs pieds. Elles étaient saupoudrées d'une mince couche de poussière kaki, et Rocky avait les mains sur les hanches. Son menton se projetait vers l'avant comme quand elle était en colère, mais aussi comme si elle savait que je reviendrais.

Elle a d'abord soulevé la petite fille. L'enfant avait des yeux vert-brun effrontés qui ont fixé les miens plus longtemps qu'aucun adulte n'aurait osé le faire. Elle s'est installée au milieu du siège en m'observant. « Hmm, j'ai fait.

— Tu es qui ? a-t-elle demandé.

— John. »

La petite fille a froncé les sourcils. « Non, c'est pas vrai.

— Tiff ! Sois gentille. » Rocky a fermé la portière et dégagé quelques cheveux sales de son front. « C'est Tiffany. » Les sacs à dos reposaient entre ses pieds. Elle gardait un bras sur son sac à main et elle a passé l'autre autour de Tiffany pour la rapprocher d'elle. Puis elle a

79

enclenché l'air conditionné pendant que l'enfant continuait à m'évaluer. Elle avait une odeur de chien mouillé.

«Tout ira bien, Tiffy. On part en voyage, Tiffinanny.» Elle a chatouillé la petite qui a gloussé mais n'a quand même pas cessé de me dévisager. Rocky ne quittait pas des yeux l'espace qui la séparait du pare-brise tandis que je roulais vers l'autoroute fédérale.

J'ai dit : «Laisse-moi regarder ton sac à main, Rocky.

— Pourquoi ?

— Passe-le-moi tout de suite, ou je te le prends.»

Elle a soufflé pour dégager quelques boucles qui lui tombaient sur le front, puis elle a refermé sèchement le sac et me l'a jeté sur les genoux. Il était lourd.

Je l'ai ouvert, et le pistolet était tout en haut. Il avait appartenu à l'un des hommes masqués de la maison de Sienkiewicz. Le silencieux avait été enlevé et glissé au fond du sac, sous des mouchoirs en papier et du maquillage. Je suppose que j'en étais enfin venu à me demander ce qu'elle avait bien pu prendre à ces hommes quand elle avait fouillé dans leurs affaires. Le pistolet était encore chaud.

J'ai reçu tout ça comme une gigantesque trahison. «Bordel, Rocky !

— Fais gaffe à ta façon de parler.

— Ma *façon de… ?*» Je me suis arrêté sur le bas-côté. «Tu joues un jeu dangereux avec moi, ma fille.»

La petite a levé vers nous deux un regard furieux. Elle avait des joues rebondies et douces, rayées de vieille poussière, et qui tremblaient assez pour que je change de ton. Elle me semblait trop maigre, et ses cheveux étaient si blonds qu'ils paraissaient presque blancs.

Rocky lui a caressé la tête en regardant dehors. Une voiture de police est passée devant nous.

« C'est ma sœur. Elle vient avec moi. Tu peux nous déposer quelque part si tu ne veux pas qu'elle soit là, mais elle vient avec moi. »

La chemise de nuit de l'enfant était de la couleur des nuages d'orage. Sa peau brillait comme un fin duvet, et, en comparaison, la mienne avait une teinte d'adobe. J'ai demandé : « Et son papa, qu'est-ce qu'il en pense ? Qu'est-ce que tu as fait avec ce flingue ? C'est quoi, ce coup de feu que j'ai entendu ? »

Elle a lancé avec un grognement : « Il va bien. Je lui ai fait peur, c'est tout. Pour qu'il comprenne que je peux le faire. »

J'ai embrayé et je suis revenu sur l'autoroute. Il commençait à y avoir davantage de circulation. Comme Rocky n'ajoutait rien, j'ai dit : « Tu as tiré sur ton beau-père.

— J'ai tiré dans le mur. Il a eu de la chance de s'en sortir à si bon compte.

— Bon Dieu de merde. Tu penses pas qu'il risque d'appeler les flics ?

— Il les appellera pas. Il veut surtout pas que les flics se pointent chez lui.

— Nom de Dieu, que c'est stupide d'avoir fait ça.

— Finalement, je préfère que tu continues avec tes gros mots plutôt que ces bon Dieu et ces nom de Dieu. Qu'est-ce que t'as avec le bon Dieu pour que tu invoques son nom comme ça ? »

Un véhicule de police perché sur un pont qui traversait l'autoroute semblait nous observer avec l'appétit indifférent d'un hibou.

« Tu crois pas que t'aurais dû m'en parler ? Me dire que tu allais le faire ? C'est quoi les mots qu'on a employés ? *Franc-jeu* ?

— Je te l'aurais dit si t'avais demandé.

— Tu m'as dit de pas demander.

— Et j'apprécie bien que tu l'aies pas fait.

— C'est un enlèvement. Ils vont plus nous lâcher. » Je m'étais mis absurdement à chuchoter.

Le regard de Tiffany allait de l'un à l'autre, mais elle n'avait plus l'air effrayée ni même particulièrement contrariée d'être là. Rocky a repris : « C'est pas un enlèvement. Il dira rien à personne. Il sera content. Il touchera encore les chèques quand ils arriveront. »

J'ai secoué la tête. Je n'arrêtais plus de regarder la route et le rétroviseur pour détecter des flics. Des fourgons et des voitures, des camionnettes et plein de gros-culs à dix-huit roues remplissaient mon rétro ; des chromes étincelaient, des vitres teintées nous observaient. « À ton avis, qu'est-ce qu'on va faire de ça ? Je sais pas ce qu'on est en train de jouer, là, Rocky. Ça n'a pas de sens.

— Eh bien, elle et moi on va s'installer quelque part pendant un moment. Je vais trouver du boulot ou quelque chose. Je vais m'occuper d'elle à partir de maintenant. Elle va bientôt démarrer l'école.

— L'*école* ? T'es pas… Oh, nom de Dieu. »

Elle s'est tournée vers moi en caressant les cheveux blancs de la petite fille. « Tu te souviens de ce que je t'ai dit hier soir ? Sur Vonda ? » Rocky a alors désigné sa sœur de la tête. « Elle connaîtra mieux que ça. » L'enfant m'a examiné moi aussi d'un air si soupçonneux qu'elle m'a paru plutôt intelligente. Puis elle a bâillé et enfoui son visage dans le flanc de Rocky.

« Tu sais qu'on est... Tu vois ce que je veux dire. Ce qui risque d'arriver à cause des gens qui nous recherchent. Maintenant, tu la mêles à ça. Tu y as réfléchi ? »

Rocky n'a pas détourné son regard du mien. « Crois-moi si tu veux, mais je te dis que même ça vaut mieux que l'endroit d'où elle vient. Et puis, comment est-ce qu'on va nous trouver ? Coupe tes cheveux. Je teindrai les miens ou je ferai autre chose. Et maintenant on est *trois*. Ils ne recherchent pas *trois* personnes. »

J'ai senti mes couilles se contracter quand une voiture de police s'est lentement extraite de la voie du milieu. Puis elle est passée devant et je l'ai laissée s'éloigner. « Je vous emmène. Mais vous deux, à vous de vous débrouiller. C'est pas sur cette base-là qu'on s'était mis d'accord.

— On peut faire tout ce qu'on faisait avant. Sauf que maintenant je m'occupe de Tiffany.

— T'en parles comme si c'était hyper-simple. Mais, vu comment tu t'es débrouillée jusqu'à présent, on dirait plutôt que tu sais pas de quoi tu parles. Comme si t'espérais bêtement que ça allait aller tout seul. Et quand ça se passera autrement, tu te retrouveras le nez par terre et ça fera mal. »

Tiffany a tendu la main et effleuré les pointes hérissées de mes poils de barbe. Elle a regardé Rocky avant de dire : « Comme Père Noël ?

— Oui, mon bébé. C'est juste, Tiffy. C'est comme le Père Noël. »

La petite fille a gloussé et s'est retournée vers moi. « T'es pas le Père Noël. »

Ce mot a encore ajouté à mon irritation. « Est-ce que t'as au moins récupéré de l'argent ? »

83

Elle a froncé les sourcils. « Pas beaucoup. Gary avait à peu près huit dollars sur lui, et je les ai pris. Il restait même pas le moindre truc à vendre, en fait.

— Qui va garder ta sœur pendant que tu feras ce boulot que tu imagines ? »

Elle a léché ses doigts et, avec la salive, effacé une tache de terre sur une des joues de sa sœur. « Il se peut que je travaille dans un endroit où on m'autorisera à la faire venir. D'autres fois, elle sera en classe. Bon sang, *man*, même les gens les plus crétins de la Terre peuvent élever des mômes. »

Mes mains se sont crispées sur le volant. « Pas bien.

— Tu sais, a-t-elle dit, plus j'y pense, moins je comprends de quoi tu te plains. »

J'aurais voulu crier, mais il m'est soudain venu à l'esprit que toutes mes objections supposaient un avenir – or, je n'en avais pas vraiment.

Elle a repris : « Tu te souviens de ce que t'as dit ? Eh bien, on te donne une chance, *man*. Pour l'instant, t'as pas besoin de nous. Je le sais. Mais il se peut que ça change dans les temps qui viennent. »

Tiffany a émis un léger bruit et s'est blottie sous le bras de Rocky pour faire un petit somme.

« Je vais vous laisser toutes les deux.

— Très bien », a-t-elle dit.

Nous sommes restés silencieux un long moment, tandis que le chuintement du vent, dehors, me faisait penser à un skieur. Un ciel chargé de nuages barrait l'horizon, et j'avais l'impression que nous étions des insectes en train de ramper le long de la lisière de l'univers. Nous l'étions, d'une certaine façon.

J'ai gardé le cap à l'ouest, avec le soleil dans le dos, pendant que le sommeil envahissait de plus en plus le visage des filles. Cette vieille règle me revenait : tu dois purger ta propre peine, pas celle d'un autre. Mais une fois que tu l'as purgée ? J'ai baissé les yeux vers la petite endormie, un poing sous le menton.

« Pourquoi est-ce que tu as enlevé le silencieux ? »

Rocky a haussé les épaules et suivi des yeux quelque chose à l'extérieur. « Je me suis dit que ça aurait l'air plus méchant si je l'enlevais.

— T'es jamais allée à Galveston. »

Elle a fait non de la tête.

DEUX

IL Y A DES EXPÉRIENCES AUXQUELLES ON NE PEUT SURVIVRE ; après elles, on n'existe plus entièrement, même si on n'a pas réussi à mourir. Tout ce qui s'est passé en mai 1987 ne cessera jamais de s'être produit, sauf qu'on est maintenant vingt ans plus tard et que tout ce qui s'est déroulé à ce moment-là n'est qu'une histoire. En 2008, je promène ma chienne sur la plage. Ou plutôt j'essaye. Je ne peux pas marcher vite, ni bien.

J'ai reçu un mot ce matin. Cecil y écrivait qu'un homme me cherchait. Cecil est le propriétaire du motel où je loue un studio et où je travaille comme homme d'entretien.

Ici et plus au sud, le brouillard du matin a la couleur du bronze et semble sans fin. Cette teinte mate me fait penser aux tempêtes de sable qui nous arrivent de loin, de l'intérieur du golfe, comme s'il y avait un désert au-delà de l'horizon. Et quand on en voit émerger des crevettiers, des plates-formes flottantes ou des super-tankers, on se dit que c'est un autre niveau de l'existence qui est en train de se frayer un passage dans le nôtre, et le tout est chargé d'histoire.

89

Quant à la leçon de l'histoire, je crois que c'est la suivante : jusqu'à notre mort, on est fondamentalement dans l'inauthenticité.

Mais je suis encore en vie.

Sage décrit des cercles autour de moi en aboyant, mais comme je ne me déplace pas assez vite pour elle, je jette la girafe rembourrée dans les brisants et je la regarde bondir pour l'attraper. Elle saute et plonge dans l'eau peu profonde, et je reste seul sur le sable. L'aube met le feu au brouillard tandis que les cris mélodieux des oiseaux et la plainte profonde des sirènes des bateaux mobilisent le monde. En septembre, au milieu de la saison des ouragans, les ciels ne sont plus que des rouleaux de nuages couleur de plomb qui ressemblent à du sucre filé.

2008.

Quelle année impossible.

Mon pied gauche se tord vers l'extérieur comme s'il essayait de me quitter. Je laisse péniblement des traces tortueuses. Le sable de Galveston est gros et gris, parsemé de particules orange et jaunes, et, tôt le matin, les plages sont en général désertes. Sage court librement : elle va et vient sur le rivage en tenant la girafe déformée dans sa gueule. Je passe ma langue le long du bridge en porcelaine sur mes gencives, et je me souviens.

Le mot que m'a laissé Cecil est un petit Post-it, et son message me balaye l'esprit comme une vague surgie de nulle part. *Roy, un mec, genre dur à cuire en costard, te demande. M'a pas donné son nom.*

Je suppose que je pourrais rentrer dans ma chambre et commencer à faire mes valises, dégager vers de nouveaux territoires un peu plus à l'ouest. Il me paraît

90

impossible qu'ils me cherchent encore maintenant, mais ça ne peut être personne d'autre.

Peut-être que, vingt ans après, un de ces mafieux a rouvert les registres et s'est mis en tête de régler de vieux comptes. Peut-être.

Je repasse ma vie mentalement, et je dois admettre que, si quelqu'un s'est lancé à mes trousses, ça ne peut pas être avec des intentions amicales. Cette sensation d'une dette venue à échéance me pèse sur l'estomac.

Ce mot que j'ai reçu me fait penser à Rocky encore plus que d'habitude.

Je pense à ce qu'elle m'a raconté dans un bar d'Angleton. Les lumières de la piste de danse, vertes et violettes, miroitent dans ses yeux, et je vois son visage s'animer encore davantage quand elle parle.

Elle disait qu'elle avait quatre ou cinq ans et qu'elle dormait sur le siège arrière d'une voiture dans les bois, à un endroit où un homme avait conduit sa mère. Il y avait plein de camions garés autour de deux caravanes, et sa mère n'était pas rentrée avant le matin ; elle était sortie d'une caravane avec son maquillage tout barbouillé. L'homme les avait reconduites à la maison sans que personne dise un mot.

Sage accourt à mes pieds et chasse l'eau de son pelage en se secouant.

Je descends dans la crique où je garde des pièges à crabes, près de la jetée abandonnée. J'ai les jambes raides, et l'air humide me donne des douleurs aux mains : il les contracte comme des griffes. Quand je paye quelque chose, les gens remarquent mes mains. Les doigts sont tordus et les jointures forment des bulles qui ressemblent à des ampoules.

Je pourrais prendre mes jambes à mon cou, m'enfuir.

Mais le réconfort de promener Sage et de ramasser les pièges est un petit plaisir que je peux encore me permettre ce matin.

Ce sont sur ces plages que les hommes de Cabeza de Vaca ont été réduits au cannibalisme ; que les pirates Aury, Mina et Lafitte se sont mis hors la loi. C'est ici que Jean Lafitte, qui avait construit une forteresse du nom de Campêche, faisait ses affaires avec des esclaves, des putes et des bars ; c'est ici qu'il a été le gouverneur de l'île jusqu'à ce qu'il ait été obligé de s'enfuir après avoir ouvert le feu sur un navire américain. Mais, avant de prendre le large, il a offert à l'île une orgie de quatre jours débordant de whisky et de femmes. Quand on marche le matin sur ces plages brumeuses, dans un air épaissi par le sel et par les choses en décomposition, on a l'impression que ces lieux soignent encore la gueule de bois que leur a laissée toute leur histoire.

Je pense à Rocky qui me tient la main en me racontant ce qu'elle a vécu dans la voiture quand elle était petite, et je me dis que c'est pareil pour cette île. Les récits sont devenus le lieu lui-même. J'ai lu un écrivain qui prétendait que les histoires nous sauvent, mais, évidemment, c'est de la bêtise. Elles ne nous sauvent pas.

Les histoires, pourtant, sauvent quelque chose.

Et elles m'ont permis de tuer pas mal de temps au cours des vingt dernières années. Passées, pour plus de la moitié, en prison.

Plus loin, le cyprès gris de la jetée a pourri, et les planches cassées s'effondrent dans la brume couleur de bronze. Près du bout de l'embarcadère, quelques mouettes perchées sur les poteaux gonflent le torse comme de minuscules présidents. Des crabes violonistes filent à mes pieds. Le claquement calme et rythmé des vagues. On peut voir les vents se renforcer au loin dans le golfe – le ciel commence à bouger, à tournoyer de manière circulaire, très lente. Avec ce temps, j'ai l'impression que les vis dans mon crâne se resserrent.

Je me tiens sous l'embarcadère ; ses piliers qui convergent au centre lui donnent un air de cathédrale submergée. Je grimace en refermant mes doigts autour du fil et je hisse la cage en fil de fer. Une pellicule d'écume recouvre mes tennis. Je libère la fermeture d'une pichenette et je fais tomber quatre crabes bleus dans le sac en toile que je porte en bandoulière. Puis je referme le casier que je lance dans la mer. Les crabes se démènent et se pressent contre la paroi du sac en lourd tissu qu'ils distendent, et je m'aperçois que je pense aussi à Carmen, ce matin. Je pourrais presque sentir l'odeur des Camel mentholées et du parfum Charlie au lieu de cet air gorgé de sel.

En grimpant pour sortir de la crique, je marque un temps d'arrêt avec Sage parce qu'au-delà de la jetée endommagée, juste après le banc de brouillard brillant, j'aperçois un groupe de grands dauphins qui brisent la surface de l'eau en dessinant des arcs délirants. Sage dépose son jouet à mes pieds et se secoue encore une fois pour se sécher. Cette chienne a un esprit curieux et vif ; c'est un berger australien rouge et blanc, mince, aux yeux vert pâle et à la langue pendante. Nous restons là un moment, tandis que j'espère revoir les dauphins, mais en vain. Des ronces et des chardons forment des plaques sur les dunes. Une péniche qui sort lentement du brouillard pour se diriger vers les chenaux glisse à travers le champ de vision de mon œil valide.

Je me demande pourquoi Cecil a qualifié le mec de « dur à cuire ». Je me demande quelles questions, exactement, cet homme a posées sur mon compte.

Je pourrais m'enfuir.

Ou bien rester et attendre. Braver l'orage, comme on dit.

L'idée me vient que ce pourrait être une bonne mort. Qui aurait dû m'arriver depuis longtemps. Puis mon pouls s'accélère, et mes pensées laissent place à une prudence et une vigilance totales, comme si je me réveillais.

Je jette le jouet de Sage devant nous et je me retourne pour regarder mes empreintes tordues. Mon dos et mon cou se voûtent au point qu'on aurait du mal à croire qu'autrefois je mesurais un mètre quatre-vingt-dix. Le bandeau que j'ai sur l'œil gauche me donne une vague ressemblance avec les pirates qui ont jadis régné sur cette côte.

Mon ombre devant moi est tellement difforme qu'on dirait une sorte de crustacé aux longues pattes minces qui s'est traîné hors des vagues. Qui s'extrait péniblement de l'histoire.

APRÈS AVOIR VIDÉ LES CRABES, je mène Sage, à travers deux parkings, jusqu'au bar-pâtisserie. Chez Finest Donuts, dont l'atmosphère est aussi tendue que moi. C'est tout juste si Roger gratte Sage, et il faut d'abord qu'elle ait donné avec persistance de la truffe contre sa jambe. Il contemple l'échiquier, puis le visage de Deacon qui a la mâchoire pendante, mais aussi les paupières tombantes, de longs bras ballants et la peau si noire qu'elle ressemble à du cirage Shinola. Ces deux derniers jours, Roger n'était pas venu, et voilà qu'il est ici dès l'aube – je peux sentir le gin et la pisse depuis la porte.

Finest Donuts occupe le dernier emplacement à l'extrémité ouest d'un minuscule centre commercial dont l'accès au boulevard Seawall et aux plages est bloqué au sud par une avenue commerciale plus récente et beaucoup plus grande. La pizzeria adjacente à Finest Donuts a fermé il y a plusieurs mois, de sorte qu'il ne reste plus à présent qu'un tabac et une pharmacie-drug-store dont le propriétaire est quelqu'un du coin. La plupart du temps, le parking venteux de ce centre n'est occupé que par des traînées de sable et les prospectus qu'on y jette. Nous avons juste célébré le septième anniversaire du 11-Septembre, et on pouvait lire sur une petite banderole devant le bar-pâtisserie : NOUS N'OUBLIERONS JAMAIS.

Je suppose que c'est une des choses que nous faisons, dans cette boutique. Nous restons assis là et n'oublions pas.

« Et maintenant, déclare Roger à Deacon, tu es obligé de tout recommencer. De zéro. Il va falloir que tu rendes ton jeton de sobriété. Tu crois que ça valait la peine ? »

Je jette un coup d'œil à Errol, qui debout au comptoir souffle sur son café pour en chasser la vapeur. Il hausse les sourcils comme si, depuis ce matin, les choses étaient délicates, ici. Une des trois cafetières est déjà vide, et les cendriers sont bien encombrés de mégots – je me demande depuis quand ils sont levés. La partie d'échecs semble au point mort, et Roger possède une belle collection des pièces de Deacon.

« Tu commences enfin à admettre que t'es impuissant », lui dit Roger en allumant une autre cigarette. Il chasse la première bouffée par une gorgée de café noir et plie ses gros bras sur la table. Roger a une petite moustache qu'il garde bien taillée en accord avec les règlements militaires, et son visage exprime si facilement sa déception qu'on peut trouver la chose un peu tyrannique. Je n'envie pas Deacon, avec ses yeux hébétés, comme laqués. Je me dirige vers Errol et je dépose mon sac de crabes sur le comptoir.

Roger explique à Deacon : « T'as qu'à recommencer. Recommencer encore et toujours. Chaque fois, aussi dur que ce soit. » Deacon hoche lentement la tête, une larme dessine un trait sur sa joue. Il soulève à deux mains sa tasse de café, la porte à ses lèvres avec lenteur comme s'il s'agissait d'un vin sacramentel, et son air honteux et confus me fait penser à Rocky.

La nuque penchée de Deacon se reflète dans la vitrine tournée vers l'avant du magasin, telle l'ombre d'un pénitent au-dessus des rangées de beignets et de pâtisseries sous les tubes au néon. Je pense au mot de Cecil, à l'individu venu poser des questions, et je me demande s'ils ont envoyé plusieurs hommes à ma recherche. C'est ce que j'aurais fait.

Errol secoue la tête, replie un journal qu'il avait ouvert à la page du formulaire pour les courses. « Je vais pas recommencer à parier dans ces machins loin des champs de courses, me dit-il. De toute façon, on peut pas y rencontrer de femme un tant soit peu valable. » Je m'installe dans un box entre lui et la table des joueurs d'échecs. Sage décrit quelques huit autour de mes chevilles avant de se coucher entre mes pieds. Deacon me salue d'un hochement de tête et s'efforce de sourire. Je remarque une nouvelle bosse sur son front – une ecchymose pourpre – ainsi qu'une tache rouge dans le blanc d'un œil. Il a grandi ici et grillé une bourse de basket-ball que lui offrait l'université Texas Tech. Récemment, il travaillait en qualité de je ne sais quoi à Wal-Mart, mais l'impression qu'il me donne ce matin c'est que ce n'est plus le cas. Il lui arrive de m'appeler Captain Morgan à cause du bandeau que j'ai sur un œil.

« Comment va, Deacon ?

— Ça va, ça va. » Il souffle sur sa tasse. Il dégage une odeur de gin, plus forte que celle du café, des pâtisseries et même, maintenant, des cigarettes.

Nous sommes tous là pour le programme de sevrage, bien que pour ma part je n'aie pas le choix : je ne peux pas boire, avec ou sans réunions, mais je viens quand même pour les histoires qu'on raconte. Et puis ça me fait sortir de chez moi.

Roger regarde sa montre et dit : « Et si on commençait ? » Il récapitule les douze étapes et demande si quelqu'un veut parler. Tous les yeux sont fixés sur Deacon. Il se lance, mais aussitôt porte son poing à sa bouche et secoue la tête. Une autre larme glisse désespérément sur sa joue, et il dit : « Je sais pas si, juste en ce moment, bon... »

Je voudrais lui venir en aide. Je soupire. « Je vais parler. » Ce qui surprend un peu tout le monde. Roger et Errol me scrutent. « Je m'appelle Roy. Je suis alcoolique. Je suis sobre depuis plus de dix-neuf ans. » Ils me disent alors tous bonjour, comme si c'était la première fois qu'on se rencontrait, et je regarde Deacon. « Ce matin, tu me fais penser à quelqu'un. Une fille que j'ai connue il y a longtemps. Oui, je pense beaucoup à elle aujourd'hui. Elle a eu une vie dure. »

Le sac en toile sur le comptoir se déplace et s'agite. Nous venons ici pour raconter des histoires de façon à gérer le passé sans qu'il nous avale. Les autres attendent que je continue.

« En ce moment, je pense à elle. Il s'est produit quelque chose – j'ai reçu un mot, ce matin, qui m'a fait penser à elle. » Pendant une seconde, je crois que je vais enfin tout raconter, mais je m'arrête. Bien qu'ils attendent tous que je poursuive, je finis par juste parler un peu de Rocky.

Elle m'a dit qu'il lui fallait marcher longtemps pour rentrer chez elle depuis l'endroit où s'arrêtait le car scolaire, et qu'elle devait passer sous un vieux pont routier couvert de graffitis bizarres. À l'autre bout du

tunnel, il y avait souvent des garçons plus âgés qui traînaient, fumaient et buvaient ; et, quand ils étaient là,
elle était obligée d'attendre dans le noir qu'ils soient
partis et que plus rien ne trouble la lumière de l'autre
côté. Une fois, elle avait attendu au-delà de minuit, et
quand elle était rentrée personne ne s'était aperçu
qu'elle était en retard. Treize ans.

Je bégaye et je marmonne en racontant cette anec-
dote, et quand j'ai fini tout le monde semble perplexe,
mais on me remercie quand même. C'est manifestement un de ces récits que personne ne sait comment
prendre. On ne saisit pas où je veux en venir.

Je veux en venir à la façon dont Rocky m'a raconté
cette histoire, à la manière dont son visage se détournait
pendant qu'elle parlait – non sans quelques coups d'œil
pour voir si j'écoutais. Au caractère lent et mesuré de ses
paroles.

Je sais que pour nous tous, ici, qui formons le groupe
« Finest Donuts » des Alcooliques anonymes, les témoi-
gnages nous permettent d'empaqueter nos souvenirs,
d'enclore des années de dégradation et de culpabilité
dans ces paquets manipulables que nous pouvons poser
sur une étagère, reprendre et feuilleter en toute sécurité
puisqu'il s'agit maintenant d'histoires.

Mais ma véritable histoire, je ne l'ai jamais racontée.

Errol vient de nous dire qu'il a perdu plein d'argent
aux courses ce week-end. Nous lui adressons nos remerciements.

Deacon finit par avoir le courage de nous parler du
vieux copain sur lequel il est tombé alors qu'il était au
travail et qui a proposé de lui payer un verre. Quand il
a terminé sa confession, il s'essuie les yeux et nous lui
adressons nos remerciements.

À la fin, tout le monde se lève pour reprendre du café, et je me souviens du livre que j'ai dans mon blouson. Je sors un poche assez mince que je tends à Roger. Un roman que j'ai emprunté et qui parle de deux boxeurs en Californie du Sud.

Le livre a l'air d'intéresser Deacon : il le fait glisser hors de la table et se met à lire la quatrième de couverture. Roger se vexe.

Quand Roger est saupoudré de farine et de sucre jusqu'aux coudes, on peut voir son tatouage de marine sur son avant-bras gauche, mais pour l'instant ce n'est qu'une tache floue, d'un bleu verdâtre et vaguement en forme d'ancre, sous une voûte de poils épais.

Errol déclare : « Je vous dis qu'on doit monter un plan pour rencontrer des filles. Il faut que vous vous y mettiez. Qui me suit ? »

Deacon lève le livre en direction de Roger et lui demande : « À ton avis, ça parle de quoi ?

— De boxe », dit Roger.

Errol secoue la tête, baisse la visière de sa casquette de camionneur et, d'un geste brusque, ouvre son journal. Errol s'est engagé dans ces réunions peu après moi. Il est arrivé des terres de sable en nous racontant qu'il avait conduit des semi-remorques à travers de grands déserts et des zones en friche, qu'il avait roulé sur des lacs gelés au Canada et bouffé de la route dans tout le Sud-Ouest. Il se ronge les ongles même quand il ne le veut pas – quand il parle à quelqu'un, par exemple, et alors il baisse les yeux et demande à son interlocuteur d'excuser la faiblesse que trahit cette habitude. J'ai vu son semi-remorque, mais je ne sais pas depuis combien de temps il ne transporte plus rien.

Errol referme son journal et dit : « Il faut projeter une aura de sécurité, de sympathie. Surtout, il faut qu'elles sentent que vous les écoutez, même quand ça n'a aucun sens. »

Roger dit : « Il y a un moment, je crois, où on préfère se sentir seul. »

Roger a trois ex-femmes, et il a acheté le bar-pâtisserie à la fin de sa dernière période de beuverie, en 92. Errol et lui se mettent à parler du nouveau cyclone qui s'est formé près de Cuba il y a quelques semaines et qui danse le long de la côte mexicaine. Un sur deux reçoit un nom de garçon, maintenant, et celui-ci doit être Ivan ou Izzy.

« Il va être mauvais.

— Peut-être pas.

— T'as vu à quoi il ressemble, aux infos ? »

C'est alors que Leon pousse la porte de verre et que les clochettes tintent. « Excusez mon retard, dit-il. Qui doit payer une pension alimentaire, ici ?

— Retourne la pancarte, tu veux ? » demande Roger. Leon pivote et met la pancarte de la porte dans l'autre sens, sur OUVERT. Quand il se tourne de nouveau, Roger lui dit : « Je croyais que ton ex s'était remariée.

— Pas moi. Mais un de vous, les mecs, risque de recevoir quelque chose.

— Quoi ? » fait Errol.

Leon se penche contre le comptoir et étire ses jambes, savourant ce moment où il retient l'information. « Y a un type là-dehors, qui surveille la boutique. Garé de l'autre côté du parking. Je l'ai vu en venant de la route. »

Je me mets péniblement debout, et Sage me suit jusqu'à la vitrine.

« Mauvaise conscience », déclare Leon en m'adressant un signe de tête.

Par la vitre, je vois tout au fond, garée à l'arrière du parking, une voiture seule, une Jaguar noire. À l'intérieur, un homme portant des lunettes de soleil qui, manifestement, observe le bar-pâtisserie. Il n'y a rien d'autre à surveiller, à cette heure matinale.

« Qu'est-ce qu'il y a ? » demande Roger.

Je me recule. « Il a raison. Un mec surveille l'endroit. » Je vais vers le comptoir où je prends mon sac de crabes.

« Qu'est-ce qui t'arrive ? demande Leon.

— Rien. Il faut que je me tire de bonne heure. Je dois peindre la maison que loue mon patron. » J'appelle Sage d'un claquement de langue. Elle ramasse son jouet sur le lino et remue la queue devant mes chevilles.

Maintenant, ils ont tous les yeux sur moi.

« Il se peut que le cyclone nous tombe dessus dans les prochains jours, dit Errol, et ton patron veut peindre sa maison ? »

Je réponds en haussant les épaules, puis je dépasse le comptoir et je traverse la cuisine. J'ai des élancements dans la tête, le message de Cecil s'enflamme dans mes pensées.

« Où vas-tu ? » demande Roger.

J'ai déjà accéléré, trottant presque, et alors que je pousse la porte battante, je lance derrière moi : « Je passe par-derrière. »

Quand je débouche dans l'allée à l'arrière de Finest Donuts, j'ai le cœur qui bat fort et je me mets à grimper péniblement sur la levée de sable qui me sépare du parking commercial suivant. Dans cet air chaud, ma respiration devient sifflante. Je pense à la façon dont je

102

suis sorti en boitillant de la maison de Stan il y a vingt ans ; je courais dans le terrain vague tandis que les cris enflaient derrière moi, et ma propre langue m'étouffait. J'ai beau me dire que je n'ai aucune raison de supposer que l'homme dans la Jaguar me suit, j'ai quand même peur de regarder par-dessus mon épaule.

Je n'ai pas décidé de la manière dont j'allais répondre à cette paranoïa. Si j'allais rester ou m'enfuir.

Rocky me donne envie de rester.

TROIS

DÈS QUE NOUS SOMMES SORTIS DES VILLES, le Texas est devenu un désert vert censé marteler en vous son immensité, un mortier rempli de ciel. Les filles l'appréciaient comme un feu d'artifice.

Nous avons suivi l'autoroute 45 vers le sud pour arriver au nord de l'île : des ports remplis de voiliers aux couleurs d'arc-en-ciel, des chalutiers aux focs recouverts de filets qui pendaient comme de la mousse espagnole. Des clochards accroupis à l'ombre de palmiers et de poteaux téléphoniques. Les palmiers dénudés ressemblaient à des côtes décharnées, fichées dans la terre. Un chien squelettique, le poil en bataille, longeait la route d'un trot boiteux – peut-être se rendait-il à l'île du Pélican. Des adolescentes en minuscules deux-pièces étaient assises sur le capot de voitures, et le soleil rejaillissait sur leurs dents, de même qu'il était dans les chromes et les capsules de bouteilles tombées autour des pneus, ou encore dans les boîtes de bière écrasées, enfoncées dans l'asphalte. Les garçons, plus âgés, se pressaient autour des filles et faisaient circuler des boîtes de High Life ou de Lone Star.

Le golfe bleu foncé était tacheté de napalm par un soleil qui se répandait sur des kilomètres. L'épaisseur de l'air en décuplait les rayons et les transformait en lames de couteau. Des pièces de monnaie brillaient dans toutes les lunettes de soleil.

Des filles en bikini faisaient du roller sur la promenade de la digue et, avec des bruits métalliques, se cognaient aux trottoirs et rebondissaient contre les rambardes. Des ballons de plage volaient et ricochaient à l'ombre des grandes résidences de vacances qui bordaient le littoral. On sentait l'odeur des marchés de poisson en plein air, et on devinait les paniers de pique-niques pleins de crevettes et de langoustines au poivre quand on voyait les vieux chiens de plage rôder sous des tables pour essayer d'avoir des viscères et des coquillages.

Traces de l'histoire : de vieilles églises espagnoles qui durcissaient sous la chaleur ; de la pierre blanche et de la brique rose, de l'adobe et du stuc ; au Musée maritime, un trois-mâts du XIXe siècle plein de fausse fierté.

On pouvait négocier un avenir, ici. Balancer ses souvenirs dans la lumière blanche du golfe comme on jette des feuilles dans un feu de jardin.

La petite fille avait posé ses mains sur la vitre de la portière et elle restait bouche bée. Elle a chuchoté, comme s'il s'agissait d'un secret : « C'est quoi ? »

Rocky lui a soufflé à l'oreille : « L'océan, mon bébé.

— C'est quoi ?

— De l'eau, ma chérie. Plein d'eau partout. »

Les plages brunes étaient parsemées d'algues qui avaient été apportées par les eaux du golfe et formaient une ligne irrégulière le long de la laisse de haute mer. Rocky regardait des gens devant des grils fumants, puis des filles pratiquement nues et les garçons qui les suivaient comme des chiens morts de faim. Je voyais qu'elle pensait à des vies différentes. Bien des gens de son âge comptent vivre éternellement et considèrent la vie comme une sorte de droit naturel à s'amuser sans fin.

Je n'avais jamais vu les choses de cette manière et je savais que Rocky ne les avait pas non plus vues comme ça.

De temps à autre, elle semblait tourmentée par ses propres possibilités, comme le sont certains jeunes. On pouvait alors voir une certaine immobilité gagner son regard : son visage se laissait aller, oubliait de jouer un rôle et paraissait simplement écrasé par le remords et le désarroi. Mais son expression exprimait une sorte de fierté campagnarde qui refusait d'admettre ce remords et ce désarroi. Cela non plus ne m'était pas étranger.

Je ne savais que faire de Rocky.

Je ne comprenais pas bien pourquoi j'étais là et je savais que je n'allais pas rester.

Il aurait été raisonnable et même gentil de leur trouver un hôtel, d'en payer quelques journées et de dégager. J'avais du mal, pourtant, à regarder la petite sans éprouver un léger pincement qui me poussait à être plus généreux que ça. Mais c'est le genre de pincement par lequel on se fait avoir, et on se retrouve à payer les dettes de quelqu'un d'autre.

Des hommes d'âge mûr se trimbalaient avec une planche de surf sous le bras. Des cars de touristes tournaient au coin des rues en faisant des embardées, comme s'ils étaient ivres.

Ce lieu avait été différent quand j'y étais venu avec Loraine – moins construit. Nous avions loué une maison sur pilotis en bord de plage et nous avions plutôt eu l'impression d'être dans un village. On avait fait frire des crevettes enrobées de pâte à la bière et bu des toasts à la tequila. On fumait de l'herbe ensemble dans la baignoire. Elle disait que c'était quand on n'était pas sérieux qu'on était le mieux tous les deux. Je crois que je ne l'ai jamais vraiment crue. Loraine m'a expliqué un jour que le mariage était une construction sociale qui transformait le plaisir en arrangement commercial, et j'ai essayé de prendre ça à la légère. Elle était bien plus jeune que moi – neuf ans de moins. Elle m'avait pourtant donné envie de tenter de vivre en suivant le droit chemin, de devenir soudeur par exemple, ou de m'installer avec elle, mais elle disait : « Est-ce que ça rapporte autant ? » Ou bien : « Pourquoi foutre en l'air un truc qui marche ? »

Je m'étais parfois demandé à quoi ça aurait ressemblé. De rentrer à la maison le soir – nos dîners. D'avoir deux ou trois marmots et de les regarder grandir. Je me disais maintenant que ça ne m'aurait pas déplu de tenter le coup.

Les deux filles n'arrêtaient pas de regarder dehors, et, de temps à autre, la petite faisait un « Oh ! » de surprise, tournait comme l'éclair son visage en direction de Rocky et montrait quelque chose du doigt.

Nous avons roulé vers l'ouest jusqu'au bout de la digue, puis nous avons fait demi-tour, et elles ont regardé les mêmes choses avec un enthousiasme toujours aussi vif. J'essayais de retrouver l'endroit où on avait loué la maison il y avait de cela plusieurs années, mais je crois qu'à cet emplacement s'élevait à présent une résidence en pierre et en verre. Ou alors j'ai juste été incapable de le trouver.

J'ai choisi un motel situé quelques rues au nord d'une petite plage, le long de la route FM 3005. Il était en forme de L avec, au centre, un parking défoncé par d'épaisses touffes de prêle et de mauvaises herbes. Il avait un toit plat, pas d'étage, et de vieux murs de brique peints en bleu clair. Le bras le plus court du L se projetait en un bureau de verre près d'un abri à voitures en forme de palette de peintre. Au-dessous de l'enseigne verticale dont les lettres empilées formaient le nom EMERALD SHORES, un autre panneau annonçait TARIFS À LA SEMAINE. Au-delà du parking, près de la rue, un palmier dépouillé se courbait vers le sol, penché sur un tas de palmes jaunies.

J'ai arrêté le pick-up et j'ai dit à Rocky : « Vous êtes mes nièces, d'accord ? »

Elle a fait oui de la tête. « T'es le frère de ma mère.

— Et où est-ce qu'elle est, maintenant ? »

Elle a réfléchi. « À Las Vegas.

— Où est ton père ? »

Elle a haussé les épaules. « Il est mort sur une plate-forme offshore. Un câble l'a projeté par-dessus bord. Je connaissais quelqu'un à qui c'est arrivé. »

Le parking était vide à l'exception de deux voitures aux antennes tordues et aux chromes rouillés, d'un break posé sur deux pneus de secours et d'une moto debout au-dessus d'une flaque d'huile noire. Du papier alu recouvrait les fenêtres d'une chambre. C'était le genre d'endroit où échouent ceux qui n'ont pas la possibilité d'aller ailleurs, un motel où de temps à autre quelqu'un vient pour se suicider, où les clients seraient trop absorbés par leurs propres échecs pour nous prêter attention.

111

J'ai tenu la porte du bureau pour laisser entrer les filles. Trois petits ventilateurs soufflaient tous vers le comptoir, et leur bourdonnement se mêlait au vrombissement grinçant d'un climatiseur en forme de caisse coincé dans un trou du mur. Rocky a gardé la main de sa sœur dans la sienne, et elles se sont mises toutes les deux à regarder un présentoir bourré de dépliants touristiques.

Je pouvais entendre un poste de radio ou de télévision dans une pièce adjacente – quelqu'un y fulminait contre les gens de gauche. J'ai actionné la sonnette en métal terni qui se trouvait sur le comptoir.

Tiffany n'arrêtait pas de tourner la tête de tous côtés, de tout examiner – les ondulations du plafond, le papier délavé et son motif de coquillages, la moquette rose qui accusait l'usure. Je parie qu'elle était bien surprise par le climatiseur.

Une femme a émergé de la pièce située derrière le comptoir, et sa chair était tellement creusée et déshydratée qu'on l'aurait crue sortie d'un fumoir à jambons – une chair que le soleil avait rôtie pour lui donner une teinte de chêne doré et qui pendait comme une dépouille sur des os saillants. Des cheveux gris souris. Des lunettes recollées au centre par un petit carré de chatterton. Elle les a remontées sur son nez.

« Vous désirez ? »

Elle a jeté un coup d'œil aux filles par-dessus mon épaule. Les deux plis qui encadraient sa bouche donnaient l'impression de s'enfoncer jusqu'à l'os.

Une feuille de papier scotchée au mur indiquait les prix : une chambre simple pour une semaine coûtait cent cinquante dollars.

112

J'ai dit : « On prendra deux simples. Pour une semaine. »

Elle a penché la tête.

« Vos filles ?

— Celles de ma sœur. Mes nièces.

— Eh bien, qu'est-ce qu'elle est mignonne, la petite ! »

Tout en s'approchant, Rocky a demandé à Tiffany de dire bonjour, mais l'enfant, gênée, s'est tapie derrière les jambes de sa sœur.

« Tu t'appelles comment, ma jolie ?

— Dis-lui ton nom, chérie. »

La gamine a eu un petit rire.

« C'est Tiffany, a dit Rocky.

— Elle a quel âge ?

— Trois ans et demi. »

La femme s'est alors fendue d'un sourire tel qu'elle en a eu le visage tout défoncé. Je me demandais à quoi elle avait pu ressembler avant que le soleil ne l'arrange comme ça.

On entendait la radio dans l'autre pièce. J'étais sûr à présent que c'était la radio parce que les voix étaient celles d'auditeurs. Un homme parlait du Nouvel ordre mondial et de la Marque de la bête. Une horloge en forme d'étoile de mer, sur le mur, était arrêtée à onze heures vingt.

Comme la femme voulait voir mon permis de conduire, je lui ai glissé le faux, accompagné de deux billets de cent et de cinq de vingt.

« Il faut encore vingt-quatre dollars soixante-sept de taxes. »

Je lui ai donné deux autres billets de vingt et je l'ai regardée remplir le formulaire. Elle avait la main qui tremblait en maniant le crayon et elle paraissait écouter d'une oreille les voix de la radio.

« Je suppose qu'on s'en tirera, a-t-elle dit en penchant la tête vers l'autre pièce. Puisqu'on est l'État souverain du Texas. Si les Nations unies nous envahissent, c'est à nous de leur tirer dessus. »

J'ai essayé de sourire, mais mon expression lui a fait froncer un peu les sourcils.

J'ai expliqué : « On est de Louisiane.

— Bon. » Elle s'est remise à écrire sur le formulaire. « La Louisiane appartient aux catholiques. »

J'ai jeté un bref coup d'œil à Rocky avant de répondre à la femme : « Sûr. »

Elle m'a tendu un reçu et deux clés, chacune accrochée à une miniature en caoutchouc, une planche de surf.

« La 19 et la 20, juste dehors, de l'autre côté du parking. Je m'appelle Nancy Covington. Si vous avez besoin de quoi que ce soit, je suis toujours là. »

Je l'ai remerciée, mais, à son air, elle avait encore quelque chose à dire.

« Juste en passant, a-t-elle ajouté. Je suis copine avec plein de policiers. Juste en passant. Faites attention à ce que vous faites dans les chambres. »

Rocky et moi avons échangé des regards, et les deux filles ont souri à la bonne femme.

« Oh, mon Dieu, qu'est-ce qu'elle est adorable, cette gosse ! Je crois qu'il n'en est jamais passé d'aussi mignonne par ici.

— Espérons qu'elle le reste », dit Rocky, et elles ont eu un léger rire toutes les deux.

Nos chambres étaient adjacentes, avec la même solide moquette vert foncé, des tableaux de plage peints à l'huile, une commode en faux bois, une table de chevet et une autre petite table. Le tout avait une vague odeur de lotion solaire et de transpiration. Le papier peint à motif de coquillages couleur pêche était identique à celui de la réception, et, dans ma chambre, il se décollait au niveau des raccords, se recroquevillant sous l'effet de l'humidité. Le robinet du lavabo tremblait et vibrait un bon moment quand on l'ouvrait – des traces bordeaux dues à l'eau en avaient taché la cuvette. Un gros climatiseur était enfoncé dans un trou ménagé sous la fenêtre de chaque chambre, et les épais rideaux bleu marine étaient revêtus d'une couche de plastique qui bloquait le soleil comme un mur de briques. Il y avait même la télévision par câble.

Tiffany s'est assise sur le lit dans leur chambre et s'est vite laissé absorber par une émission de marionnettes et de décors en carton. J'ai regardé Rocky défaire leurs sacs à dos et ranger les vêtements de sa sœur dans les tiroirs de la commode. Sa jupe lui serrait le cul quand elle s'accroupissait, et ça me fouettait le sang – je le sentais bouillir, crier son admiration.

Mais notre situation gardait quelque chose de factice. Comme si nous faisions tous les deux tacitement semblant de quelque chose.

« Et maintenant ? » a demandé Rocky.

J'ai réfléchi un instant. « Je suppose qu'il faudrait aller faire des courses.

— Hmm.

— T'en fais pas pour ça. J'ai ce qu'il faut. »

J'ai senti le picotement d'un avertissement sourd : de vieilles frayeurs engendrées par des faveurs qui avaient encouragé certaines formes de dépendance.

« Il faut pas que tu payes pour nous, Roy.

— C'est pas comme si je ne pouvais pas le faire. »

J'avais l'impression d'être incapable de m'arrêter. En plus, j'avais un besoin urgent de prendre un verre, sans doute pour m'aider à refouler les instincts qui me disaient de bien tenir mon portefeuille et de mettre un terme à ce jeu. De les quitter *tout de suite*.

ON A TROUVÉ UN MAGASIN JCPENNEY dans une galerie marchande, et j'ai attendu pendant qu'elle choisissait des vêtements. Ces centres commerciaux bourrés de gens qui veulent à toute force acheter des trucs m'énervent ; et j'avais l'impression de voir chaque jour de plus en plus de gros.

J'ai regardé Rocky lever une jupe et la tenir à côté d'un chemisier. D'énormes femmes se dandinaient entre les rayons, défaisant des cintres, vérifiant des étiquettes, abandonnant des pantalons dépliés sur d'autres articles. Des femmes bouffies qui paraissaient malheureuses et qui avaient faim de dépenses.

J'ai découvert que tous les faibles ont en commun une obsession fondamentale : ils font une fixation sur la notion de satisfaction. Partout où l'on va, les gens – hommes et femmes – sont comme des pies attirées par ce qui brille. Pour certains d'entre eux, ce qui brille c'est les autres, et là il vaudrait mieux se mettre à la drogue.

Une relation devient trop agréable, trop pleine, et avant même de s'en apercevoir, on est en danger.

117

C'est ce qui s'était passé avec Loraine et, je suppose, en partie avec Carmen. Ça me restait en travers de la gorge.

Rocky a choisi une jupe, un chemisier et un bikini. Et puis, quand je l'y ai encouragée, elle est retournée prendre deux ou trois débardeurs et un jean. Au K&B, on a acheté des brosses à dents et d'autres articles d'hygiène, et j'ai aussi pris une tondeuse à cheveux électrique. Nous sommes allés déjeuner dans un endroit proche de l'hôtel et de la digue : un bistro en bois dénudé, protégé des grandes marées par son propre mur en béton sur lequel s'étalait une fresque délavée représentant des créatures océaniques. Nous avons mangé dans une cour tandis que des ados regroupés devant la fresque fumaient et prenaient des poses. Rocky a alors rentré un peu la tête dans les épaules et regardé ailleurs. Elle n'a avalé que deux bouchées de son cheeseburger.

Pendant que Tiffany mangeait ses frites avec délicatesse, les yeux de Rocky allaient et venaient entre sa sœur et les ados, comme si elle ne voulait pas les regarder mais ne pouvait pas s'en empêcher. Elle déplaçait sa nourriture sur son assiette, jetait un coup d'œil aux gamins, puis dessinait des formes dans son ketchup avec une frite ramollie.

J'ai accompagné mes deux hamburgers d'une Budweiser, puis, me penchant un peu en arrière, j'ai respiré l'air salé et chaud pour en charger mes poumons. « Qu'est-ce que t'en penses ? ai-je demandé à Rocky.

— Hein ? » Elle a laissé tomber sa frite. « Oui, merci.

— Qu'est-ce que tu penses de ce coin ? Ça a l'air pas mal.

— Ça va.

— Je parie qu'elle va aimer la plage.

— Ouais. » Elle a croisé les bras sur la table et baissé les yeux vers Tiffany. Son sourire s'est durci et a vite passé.

« Je parie que tu pourras trouver un boulot de serveuse, par ici. T'es mignonne. On t'engagera.

— Peut-être. »

Un serveur en short trop ample a pris nos assiettes et demandé à Rocky si elle voulait emporter ce qui lui restait. Elle a répondu non, mais j'ai dit au garçon de l'emballer quand même. Il est parti, et c'est tout juste si elle a levé la tête. Elle triturait le set de table, le poussant d'un côté et de l'autre.

J'ai longuement regardé les murs : des filets de pêche suspendus à l'extérieur, avec des crabes et des langoustes en plastique pris dans les mailles ; un marlin fixé au-dessus de l'entrée et, dans des cadres, des coupures de presse sur l'ouragan de 1900. Le passé n'arrête pas de resurgir, ici. La surface s'érode sans cesse.

« Qu'est-ce qui va pas ? » ai-je demandé.

Elle a pris un air blessé. « Comment ça ?

— Tu fais la gueule.

— J'en sais rien. Bon, ça me prend de temps à autre. » Ses yeux ont brillé quand elle a prononcé ces paroles. « Ce que je veux dire, c'est que j'allais bien et que je pensais pas trop. Mais c'est tout ça. Tu sais.

— Oui.

— Tout ça, depuis hier soir.

— On va se débrouiller. Personne nous trouvera. »

La tête de Tiffany a jailli, et son doigt s'est dressé vers ma barbe. « Je t'ai trouvé, moi ! »

Rocky m'a dit : « Je sais. Ce que je veux dire, c'est que je crois que t'as raison. C'est comme ça, voilà. De temps à autre, je me dis que c'est pas juste. » Elle s'est essuyé les yeux et elle a mordu l'intérieur de sa lèvre. « Ce que je me demande, c'est si je pourrai jamais espérer autre chose. »

J'ai pensé à son problème ; j'ai pris une cigarette que j'ai tassée contre la table, puis j'ai dit : « Ça semble injuste parce que ça frappe au hasard. Mais c'est aussi pour ça que c'est juste. Tu me suis ? C'est juste comme l'est la loterie.

— Merde, Roy. Ça doit m'aider, ce genre d'idée ? »

J'ai allumé ma cigarette et je me suis reculé de la table pour pouvoir étendre mes jambes. « Ouais.

— Non, ça marche pas avec moi. » Ses joues et son nez ont pris une teinte cramoisie, et elle a cligné des yeux en refoulant des larmes.

« Mais si, regarde. Ça fonctionne dans les deux sens. Demain, tu peux très bien devenir riche et rencontrer le grand amour. » Je n'y avais jamais cru, mais je m'efforçais d'avoir un ton persuasif.

« Ah ouais, c'est sûr. »

Elle s'est mise à plier et à déplier son set de table en regardant l'océan au-delà de la levée. Elle paraissait particulièrement petite, soudain trop jeune et trop frêle sur ce fond de longs nuages rouges et de ciel doré. J'ai regardé Tiffany dessiner dans son ketchup avec ses doigts. Elle a levé les yeux vers moi, puis les a portés sur ses mains toutes salies. Elle a ensuite sucé ses doigts jusqu'à ce qu'ils soient propres et les a replongés dans le ketchup.

En rentrant, j'ai acheté un journal pour que Rocky puisse regarder les petites annonces. Si je voulais qu'elle se remette à penser à l'avenir, c'était surtout parce que je me disais que ce serait alors plus facile de les quitter.

Tiffany a commencé à somnoler dès que nous sommes retournés au motel, et Rocky battait des cils. L'épuisement arrivant vite, nous nous sommes séparés devant nos chambres.

Un pack de six bières vide était posé près du trottoir comme s'il attendait le bus. De l'autre côté du parking, devant une chambre, un homme était assis sur le perron, torse nu, la tête entre les mains.

J'ai fermé ma porte. Avant de brancher la tondeuse, j'ai pris mon couteau et j'ai coupé la masse de cheveux que j'avais sur la nuque. Je l'ai gardée un instant dans la main, assez étonné de constater sa longueur. J'avais la sensation d'avoir perdu une partie de moi qui se révélait plus cruciale que je n'avais cru. Puis je l'ai laissée tomber dans la poubelle et j'ai actionné la tondeuse. Je l'ai réglée sur une épaisseur de six millimètres et je me suis rasé la tête. J'ai ensuite appliqué la même longueur à ma barbe, de sorte que ma mâchoire et mon crâne exhibaient la même couche de poils gris-blond.

J'ai regardé mon visage en face. Mon reflet me renvoyait toujours ce que je connaissais, mais jamais vraiment ce à quoi je m'attendais. Cette fois, pourtant, le choc a été brutal : de grands pans de chair vide, un petit nez recourbé, une bouche en simple fente et un menton large et carré. C'était comme si, toute ma vie, j'avais obscurément espéré trouver un autre visage que ce masque sévère que Loraine avait un jour comparé aux traits dessinés sur un totem choctaw. Cette comparaison, déjà valable quand j'étais jeune, était encore plus juste à présent que mon front s'était dégarni, que mes cheveux partaient en V vers l'arrière, que mes yeux tombaient et que mes joues pendaient. Les yeux m'ont paru bizarres. Marron foncé, très écartés, ils semblaient

121

plus grands sans la barbe et les cheveux. Mais, aussi loin que remontent mes souvenirs, j'ai toujours eu l'impression que mon vrai visage n'était pas représenté, qu'il y avait en moi un autre visage aux traits plus minces et plus purs, une mâchoire nette et un nez romain, ainsi que le buste d'un de ces centurions qui avaient conquis le monde antique. Et maintenant, après quarante ans avec le même visage, il y avait encore une partie de moi qui s'attendait à découvrir l'autre homme dans le miroir.

J'ai passé la main sur les petits cheveux raides de mon crâne et j'ai pensé aux patients en chimiothérapie.

Sans allumer la télé, je me suis allongé sur le lit. Des taches d'humidité s'étalaient au plafond comme de minuscules continents dont nul n'avait jamais entendu parler, et je me suis imaginé des algues en train d'éclore partout sur ma poitrine en une série d'éruptions.

Je me suis demandé jusqu'à quel point ma situation allait empirer, et comment je me débrouillerais quand ça irait mal.

J'avais mis mon colt, avec le pistolet que Rocky avait pris, dans le petit coffre où j'avais rangé l'argent, et je gardais le tout au fond de mon sac marin. Passer sous un train me plaisait plus qu'être malade, mais le problème avec le suicide, c'est que quand on passe à l'acte le mal est déjà fait. Et pour parler franchement, ça me faisait peur, même si, à mes heures, j'avais fait pas mal de choses qui m'effrayaient.

Me soûler à mort au Mexique me paraissait aussi assez attirant.

Mais dans un cas comme dans l'autre, il y avait un côté ironique qui m'embêtait. J'avais été le seul à ne pas être tué chez Sienkiewicz. Pourquoi le seul à se tirer de cette maison devait-il être celui qui projetait par ailleurs de mourir ?

Le plus curieux, c'est que je n'avais pas vraiment envie de me venger. Ce qui ne me ressemble pas du tout.

Il y avait même une partie de moi, je crois bien, qui était contente d'en avoir terminé avec tout ça – avec les parieurs, les junkies, Stan Ptitko et les Arméniens. Il était possible que ce sentiment ait couvé en moi depuis quelque temps, ce qui aurait été la véritable raison pour laquelle je m'étais procuré une autre identité.

J'étais *hors course*.

À l'extérieur, les insectes chantaient et le monde commençait à s'assombrir. Des bleus et des rouges s'infiltraient entre les rideaux, et ces couleurs me rappelaient un coin de rue à Hot Springs, bien des années auparavant. Le bruit des bestioles et le chuintement de l'océan se mêlaient au son du climatiseur. Un rire de femme a voleté depuis l'autre côté de la fenêtre, puis j'ai entendu quelqu'un trébucher et une bouteille se briser.

J'ai fermé les yeux et j'ai vu Carmen qui souriait en tournant la tête sur son épaule. Loraine me griffait les flancs. Je me suis souvenu qu'à ce coin de rue de Hot Springs les lumières bleues et rouges brillaient dans une flaque, et que j'étais assis sur le trottoir comme l'homme que j'avais vu dans le parking. J'étais assis, les genoux pliés, la tête entre les genoux et les poings ensanglantés.

Mon passage dans la maison de redressement : je chauffais une brosse à dents avec une pochette d'allumettes jusqu'à ce que je puisse en détacher les poils et coincer une lame de rasoir dans le plastique ramolli.

Alors que j'avais dix-sept ans et que je travaillais comme aide-barman chez Robicheaux, j'ai vu un soir un petit vieux boire en silence tout seul toute la soirée, sans parler à quiconque, et puis, vers minuit, tomber de son tabouret. Il s'est fendu le crâne et il est mort là, aux pieds de tous.

J'ai rouvert les yeux.

Les choses ne peuvent pas durer, ici. Le sel s'infiltre partout, décolle la peinture, rouille les ailes des voitures et ronge les murs. Je le sentais dans cette chambre qui en était pleine, et dans les taches du plafond je voyais des villes et des plaques d'érosion.

Tu es ici parce que cet ici est quelque part. Des chiens halètent dans les rues. La bière ne reste jamais froide. La dernière chanson nouvelle qui t'a plu est sortie il y a longtemps, très longtemps, et la radio ne la passe plus.

On a frappé timidement à ma porte et je me suis remis debout. Rocky se tenait là, sous l'éclairage froid à vapeur de sodium, vêtue d'un tee-shirt et d'un petit short bleu qui remontait tout en haut de ses jambes. Les bras serrés autour de son corps, elle avait le nez et les joues rouges, les yeux irrités.

« Roy. »

Elle est entrée. J'ai fermé la porte et allumé. Je me suis assis sur le lit en face d'elle. Elle a ramené ses genoux contre son corps et replié ses jambes dans le fauteuil, mais comme la vue qu'elle me donnait ainsi était trop tentante pour moi, je faisais bien attention à regarder juste à côté. En reniflant, elle a mis les bras autour de ses genoux.

« Qu'est-ce qui va pas ?
— Regarde-toi. T'as plus de cheveux.
— Qu'est-ce qui t'est arrivé ?
— Rien. Je réfléchissais.
— Mieux vaut tard que jamais.

— Tout juste. » Elle a gloussé, reniflé et écarté une mèche blonde de son front. « Je pensais – t'as quel âge ?

— Quarante ans.

— Ouais, et moi, dix-huit ans, *man*. Rien du tout. D'accord ? Ce que je veux dire, c'est que c'est rien, malgré tout ce qui s'est passé jusqu'ici.

— Dix-huit ans, c'est vrai que c'est rien. T'as le temps de recommencer ta vie trois ou quatre fois si tu veux. »

Lorsque je lui ai dit ça, j'ai vraiment senti pour la première fois que j'étais trop jeune pour mourir. Rien de plus nul comme plainte. Je me suis rappelé que tout le monde dit la même chose quand j'arrive avec mes gants et ma matraque. Tous, c'est : *Attends, attends !* Attends.

Elle avait les yeux humides et le nez tout irrité à force de l'avoir frotté. Elle était face à la fenêtre où des rayons de lumière, telles des cordes de harpe, passaient autour des rideaux. Son regard se concentrait sur quelque chose qui se trouvait derrière. « Parle-moi, Roy. J'ai besoin d'entendre quelque chose. »

Je n'ai rien dit. Je ne pouvais pas m'arrêter de jeter des petits coups d'œil à ses jambes et à ses cuisses. Le désir semble toujours vaguement humiliant.

« Tu faisais quoi quand t'avais dix-huit ans, Roy ? »

J'ai sorti une cigarette et je lui en ai offert une. Je les ai allumées toutes les deux. J'ai dit : « Je travaillais dans un bar et je truquais les paris dans le Sud, surtout en Louisiane, dans l'Arkansas et le Mississippi.

— Ça se fait comment ?

— On met de l'argent sur certains chevaux pour changer la cote en faveur du bookmaker.

— Oh. »

D'autres bruits nous provenaient de dehors, et notre fumée se déployait pour aller se briser contre les îles décolorées du plafond. De la musique sortait d'auto-radios à une rue de distance, une femme un peu plus loin sur le trottoir criait à un homme le mot *res-pon-sa-bi-li-té* en détachant violemment chaque syllabe.

« Comment tu t'es mis là-dedans ? » a demandé Rocky.

J'ai haussé les épaules. « Je devais entrer dans les marines.

— Ah bon ? » Elle a étendu ses jambes, les a croisées, et elle a redressé son visage pour me regarder en face. Sur son nez et ses joues, des taches de rousseur très pâles formaient comme un bandeau, et j'avais l'impression que les larmes lui agrandissaient les yeux. « Comment ça ?

— Quand j'ai eu dix-sept ans, j'ai pris le car pour me rendre au centre de recrutement. Oui. Je suis resté là assis à attendre pendant deux ou trois heures. Il y avait plein de jeunes. Ils étaient venus avec leur père ou leur mère, et ils portaient des jeans aussi rapiécés que le mien. Des chemises raccommodées. Ils avaient les mains pleines de cals à cause du travail de ferme. Les mères et les pères non plus n'arrivaient pas à se débarrasser de toute la terre qu'ils portaient sur eux. J'ai regardé les gens chargés du recrutement : ils parlaient aux parents. C'était comme ça. Ils n'adressaient pratiquement pas la parole aux jeunes. Ils se contentaient de dire aux parents : *On lui apprendra ceci, il apprendra cela, on en fera un homme.* Tu vois. Moi, ça m'a pas plu, qu'ils parlent qu'aux parents. J'ai pas aimé non plus voir les autres jeunes debout, là, sur le côté, comme des chevaux qu'on vend aux enchères. Et puis, de toute façon, j'avais déjà en tête de faire quelque chose. Quelque chose d'autre. »

Je me suis interrompu et j'ai tenu la cigarette à la verticale pour laisser sa fumée se déployer. Elle ressemblait aux tours des raffineries de l'autre côté du lac, là où j'ai grandi.

« Faire quoi ? a demandé Rocky. Tu pensais faire quoi ?

— À Beaumont, il y avait un endroit où ma mère avait travaillé avant ma naissance. Elle en parlait beaucoup. Un bar qui s'appelait Chez Robicheaux. Elle parlait de son ancien patron, Harper Robicheaux, et elle disait que c'était un mec formidable. Du genre supérieur à tous les autres. Elle disait que parfois elle avait chanté dans sa boîte. Et puis elle chantait pour de vrai. À la maison.

— Est-ce qu'elle chantait bien ?

— Oui. Je suppose qu'elle a arrêté quand je suis arrivé.

— Et alors, qu'est-ce que t'as fait ?

— Je suis parti du bureau de recrutement et j'ai pris un autre bus pour aller à Beaumont. Là, j'ai trouvé cette boîte. Chez Robicheaux. En fait, ça s'appelait Chez Robicheaux dans le Bayou. Je suis entré et j'ai trouvé l'homme dont elle avait parlé : Harper, le propriétaire. Il a fallu que je l'attende. C'était le genre cador, mais il était hyper accueillant et il avait un tas d'amis. Quand je lui ai dit qui était ma mère, il a réagi de façon sympa. Il m'a demandé comment elle allait, et il a paru triste quand je lui ai dit qu'elle était morte. Il m'a demandé ce que je voulais et j'ai répondu : un boulot. Voilà comment j'ai commencé. J'ai travaillé un moment dans son bar, et puis quand il a décidé que j'étais assez malin pour ça, il m'a fait bosser dans les paris. »

Tout en fumant, elle triturait un de ses ongles de pied. « Avant d'aller dans cette boîte, tu vivais avec qui ?

— M. et Mme Beidle. Ils tenaient le foyer.

— Ta mère n'était plus là ?

— Elle était morte depuis des années. Maladie.

— La même que celle que tu as ?

— J'sais pas. Peut-être. »

J'ai éteint ma cigarette, et j'ai suivi des yeux la ligne couleur de sang que le sel moisi avait tracée sur les plinthes de la chambre. Mary-Anne n'était pas tombée malade, ou du moins pas comme moi. J'avais dix ans quand des gens qui s'étaient trouvés sur le pont de la I-10 avaient dit qu'ils avaient essayé de la rattraper mais qu'elle s'était hissée par-dessus le parapet. Elle n'avait pas du tout crié, avaient-ils raconté. Se précipitant contre le parapet, un ou deux d'entre eux l'avaient vue, sa robe remontée en corolle autour de son corps, tomber d'une hauteur de plus de cent cinquante mètres.

Je me suis toujours imaginé en train de tomber. On se dit que c'est une chute rudement longue, sans pousser un cri.

« Et ton père ? a demandé Rocky.

— Il était sympa. Il avait été dans les marines. En Corée. Il est mort. Pas en Corée. Dans une raffinerie. » J'ai haussé les épaules. « Ça fait longtemps. »

J'avais déjà plus de vingt ans quand j'ai compris que John Cady avait dû savoir que je n'étais pas son fils. Il mesurait un mètre soixante-dix, et moi déjà un mètre quatre-vingt-dix à mon quinzième anniversaire. Je n'avais pas non plus des cheveux sombres comme lui ou Mary-Anne, ni leur menton, et pourtant il n'a jamais voulu que je l'appelle autrement que papa.

« Ce mec-là, Robicheaux ? Tu l'aimais bien, hein ? Je l'ai remarqué. À ta façon de parler de lui.

— Oui, je crois que je l'aimais bien. Il a eu l'air vachement étonné, la première fois qu'il m'a vu.

— Pourquoi ? »

J'ai roulé des yeux et j'ai soupiré, mais ça ne me gênait pas, de lui dire ce que je ne racontais jamais à personne. J'ai commencé à ôter mes bottes. « Eh bien, ai-je dit en grognant, c'était un mec costaud, comme moi ; en fait, il me ressemblait beaucoup. Même visage. Ça l'a étonné, qu'on ait le même visage.

— Il te ressemblait ?

— Et comment ! »

Elle y a réfléchi un instant, mais je crois qu'elle n'a pas vu ce que je visais. Elle a dit : « Bizarre. Et il était comment ?

— Intelligent. Les gens l'aimaient. Il faisait de bonnes affaires avec les Italiens de la côte, à La Nouvelle-Orléans, et avec une bonne partie des bikers de l'Arkansas et du Texas.

— Ah. Et qu'est-ce qui lui est arrivé ?

— Quelqu'un l'a dégommé.

— Dégommé ?

— Comme je te le dis.

— Désolée, Roy.

— Y a pas de quoi.

— Désolée. » Elle a écrasé sa cigarette et glissé ses mains sous ses cuisses, puis elle a étiré ses jambes dont les muscles se sont tendus comme des câbles de vaisseau.

Je me suis gratté le genou, j'ai tâté mon nouveau visage – il y avait du mou dans la peau. Elle a dit : « J'ai l'impression d'avoir tout foutu en l'air.

— T'es pas obligée de voir les choses comme ça. » Je me suis levé et je suis allé jusqu'au lavabo où j'ai bu un peu d'eau et me suis lavé les yeux – dans la glace, mon visage commençait déjà à me paraître ordinaire.

Elle m'a lancé un coup d'œil par-dessus son épaule. « T'as déjà tué des gens, Roy ? À part ces deux, dans la maison. »

Je me suis essuyé le visage et je suis revenu vers elle. « Deux.

— Quel effet ça te fait ?

— Lâche-moi, tu veux ?

— Excuse-moi. » La déception dans ses yeux m'aiguillonnait quand même. La présence de la mort rendait inutiles toutes mes habitudes, mes routines. Certains de mes comportements changeaient. Entre autres, je parlais bien plus.

J'ai dit : « Ça me fait le même effet qu'à un soldat. Les gens à qui j'ai fait ça, c'étaient pas des passants innocents. C'est pas comme s'ils s'étaient pas mis eux-mêmes dans la position où ils se trouvaient. Ma façon de voir, c'est qu'ils ont créé une situation et qu'il a fallu que j'intervienne pour la régler. Ils l'ont cherché. »

Elle a reniflé, respiré par la bouche, et elle s'est pincé les orteils. « Je me suis dit que t'allais nous laisser ici. »

Je n'ai rien répondu. Mais je suis resté debout pour lui donner l'idée qu'elle ferait mieux de rentrer dans sa chambre.

« Tu peux le dire, *man*, si tu veux nous laisser. Bon, je comprends. C'est normal. Je veux dire, même si t'es malade. Parce que ça n'a pas de sens de rester ici. Je suis pas en colère, pas du tout.

— Tu trouveras un boulot. Tu t'occuperas de Tiffany. Tu gagneras au loto.

— Je la regardais, là-bas, un peu plus tôt, et je me disais que t'allais nous quitter, et que j'avais vraiment déconné. Même en suivant cet autre type, Toby. Il était pédé. Je croyais que ça irait quand même. Quel foutoir. » Elle a examiné la cigarette qui fumait encore. « Mais tu sais, *man*, dès le début ça a toujours été le foutoir, rien d'autre.

— Je pars pas encore.

— Bon, a-t-elle dit en soupirant. Ce foutoir, c'est pas le tien. C'est le mien.

— Tu t'en sortiras.

— Tu sais, ça n'a pas changé là-bas. Toujours cette chaleur. Même pré, même herbe. Rien à faire. Je veux dire, j'y ai vu tout le reste de ma vie. Ce serait comme ça jour après jour.

— Moi aussi, j'étais dans ce genre d'endroit. » Mais j'ai tressailli en le disant, et je m'en suis voulu de continuer à discuter avec elle. J'étais d'autant plus irrité que je sentais que j'avais envie de parler de ces prés vides et du soleil qui inonde tout, de Loraine et de Carmen. J'aurais voulu dire des choses sur elles, mais je ne savais pas quoi.

Rocky a poursuivi. « En regardant ces ados, aujourd'hui, sur la plage, j'arrêtais pas de me dire que je voulais juste une vraie vie.

— C'est une vraie vie, tout ça.

— Tu sais bien ce que je veux dire. Je veux que Tiffany en ait une aussi. Dans un endroit stable.

— Dans ce cas, c'est ce qui se produira. »

À présent, son visage était sec. Elle a fait un grand sourire et ses yeux se sont rétrécis. « T'as l'air hyper-bizarre sans tes cheveux.

— Je me reconnais pas. Une bonne chose, je suppose.

— T'as moins l'air cinglé qu'avant. »

J'ai monté la clim, et le cliquètement s'est fait encore plus fort. Le verre de la fenêtre s'est mis à vibrer. « Tu devrais aller dormir. On trouvera quoi faire demain. »

Elle a tendu la main pour que je l'aide à se lever. Pendant une seconde, elle a gardé les paupières mi-closes comme si elle jouait, ce qui m'a déplu. Elle s'en est rendu compte et elle s'est arrêtée pour se diriger très lentement vers la porte. Je ne pouvais m'empêcher de garder les yeux sur son short qui, depuis qu'elle s'était assise, lui était remonté carrément dans la fente.

Elle a fait une pause pour dire : « Si tu veux t'en aller, y a pas de problème. C'est bien. T'as fait plein de choses pour nous, Roy. Tu peux partir. On se débrouillera. »

J'ai ouvert la porte et j'ai dit : « Je le ferai peut-être. »

L'homme qui était auparavant assis sur un perron s'était déplacé vers un coin d'herbe au bord du trottoir et, là, s'était allongé à côté d'un réverbère. Des mous-tiques pullulaient dans la pyramide de lumière près de lui.

Rocky s'est retournée vers moi avant d'entrer dans sa chambre et s'est retenue de me dire quelque chose.

J'ai lancé : « Si je suis là demain matin, ça voudra dire que je suis pas encore parti. » Et j'ai refermé. Une fois seul, j'ai été pris d'agitation. J'ai zappé d'une chaîne de télé à l'autre, les parcourant toutes quatre ou cinq fois de suite. J'ai plié toutes mes fringues et je les ai rangées l'une après l'autre dans la commode, et puis je les ai ressorties pour les remettre dans mon sac marin. Je me suis effondré et je me suis mis à nettoyer mon 9 mm avec un crayon et un gant de toilette. J'avais l'impression que quelque chose me manquait, maintenant, quelque chose que j'avais du mal à définir mais dont je remarquais l'absence.

J'avais la sensation de m'être fait du tort en parlant autant.

APPAREMMENT, L'EMERALD SHORES AVAIT QUELQUES HABITUÉS. Le break sur les roues de secours appartenait à une famille au numéro 2. C'était le garçon à la moto qui avait posé du papier alu sur ses fenêtres au numéro 8. Deux femmes âgées partageaient le numéro 12 : elles étaient propriétaires de la Chrysler récente, aux amortisseurs déglingués, dont l'avant plongeait comme celui d'un dragster. Le lendemain matin, il y avait un gars en face de ma chambre qui embrochait des saucisses et les faisait cuire sur un petit gril à charbon, répandant partout une fumée grasse, pleine de poivre. Assis sur une chaise pliante, il m'a salué de la main.

C'était un vieux mec dégingandé qui portait un bandeau autour du front, des sandales et un débardeur avec une pub pour la bière Corona. Comme l'odeur me donnait faim, je me suis approché. J'ai vu qu'il avait à ses pieds une pile d'assiettes en carton.

« C'est le petit déj qu'offre le motel, *man*. Moi, c'est Lance. »

Il a pris une assiette et laissé tomber deux saucisses dedans.

« Vous travaillez ici ?

— Pas vraiment. Avant, j'étais marié avec Nancy. La femme qui vous a accueilli. Elle me laisse habiter ici. Et puis elle aime bien que je prépare un petit déj pour les clients. Comme il y a pas de cuisine, je me sers du gril.

— Parfait. Merci.

— Elle m'a dit que vous étiez avec deux petites filles. Elles peuvent venir en chercher aussi, si elles veulent. »

J'ai entendu une porte s'ouvrir, et deux enfants venant du numéro 2 sont sortis, suivis de leur père. Il était ébouriffé et il avait la figure gonflée, des yeux brillants, injectés de sang.

D'emblée, il m'a toisé.

Il a envoyé une claque sur la nuque du petit garçon. « Saute pas pour te mettre devant ta sœur. Laisse-la se servir. »

Les enfants étaient éblouis et grimaçaient sous la lumière comme si on venait de les tirer d'une caverne. Lance leur a fait un grand sourire, puis il a mis deux saucisses sur une assiette pour la fille et autant pour le garçon.

Je venais de finir les miennes. L'homme du 2 a dit à ses gosses : « Rentrez, maintenant.

— Maman a dit qu'on lui en prenne.

— Elle a pas besoin de saucisses. Dis-lui de ma part. » Il a pris une assiette que lui tendait Lance et il a regardé les gosses regagner leur chambre. Dans son gros visage, long et large, son petit menton faisait penser à un galet, et son cou lisse et gras noyait le contour de sa mâchoire. Il avait les cheveux plutôt longs et mal peignés ; il portait un marcel et un jean raide et malodorant étiré par un bide en boulet de canon qui lui incurvait le dos vers l'avant.

« Bonjour, a dit Lance.

— Ouais, a répondu l'autre. C'est le jour. » D'un coup de dent, il a coupé sa saucisse en deux. Un vrai dur à cuire – en tout cas, il voulait qu'on le croie. Il avait un regard naïf, paranoïaque. Il avait dû être le caïd d'une petite cour, mais à présent ses bras s'étaient ramollis et ressemblaient à des cuisses de vieille.

« Rien sur le *Kestrel*, je viens de l'apprendre, m'a-t-il dit. C'est naze. »

J'ai jeté un coup d'œil à Lance, puis, regardant de nouveau celui qui me parlait : « Je sais pas de quoi il s'agit.

— C'est une plate-forme offshore. On est venus ici parce que je devais y travailler pour Cities Service. Mais quand je me suis pointé ils m'ont dit qu'ils m'avaient jamais embauché. Je leur ai dit que j'avais une lettre. Et eux me disent que la lettre ne dit pas ce qu'elle dit. » Il a regardé Lance pour trouver un soutien. « Alors que je la tenais dans la main ! » Une fois ses saucisses finies, il a posé l'assiette en carton par terre.

Il m'a vu prendre mes cigarettes. « Z'en avez une de reste ? »

Je lui en ai donné une.

« Vous êtes d'où ? Je me disais que vous deviez bosser sur une plate-forme.

— Nan. Je suis en vacances.

— D'où ça ?

— De Louisiane.

— Quel coin ?

— La Nouvelle-Orléans.

— Désolé pour vous, *man*. J'y ai déjà été. Avec toute cette pluie, et les catholiques et les nègres.

— Ça peut être trop pour certains, c'est vrai. Il faut savoir y faire.

— J'ai connu un mec qui venait de La Nouvelle-Orléans. Il s'est tiré une balle dans la cuisse. C'était vraiment un con.

— C'est peut-être pour ça qu'ils l'ont viré de là-bas. »

Son front s'est plissé comme s'il avait du mal à saisir ce que je disais. J'ai alors vu qu'un autre mec était sorti, le motard du numéro 8 qui avait étendu du papier alu sur ses vitres. Il était jeune et maigre, avec des cheveux longs, et il est resté un peu en retrait à nous regarder derrière ses grandes lunettes de soleil. L'autre continuait à me dévisager, essayant de comprendre ce que j'avais dit au juste pour l'insulter.

« Vous avez combien de gosses, dans votre chambre ? lui ai-je demandé d'un ton un peu moqueur.

— Rien que ces deux-là. Et une femme. » Il a secoué la tête. « Tous les jours un peu plus grosse. » Et, en guise de concession, il s'est mis à parler de sa femme. Quelques jours auparavant, il avait dû lui mettre les points sur les i à propos d'un maillot de bain, et, depuis, elle refusait de sortir de la chambre. « Elle veut se la jouer comme si je l'avais froissée ou Dieu sait quoi. Vous savez comment elles sont. »

J'ai balancé ma cigarette d'une pichenette et j'ai regagné ma chambre. Le garçon de la 8 s'était penché pour poser une question à Lance tandis que l'autre restait simplement là à regarder, à se tourner d'un côté et de l'autre, étonné de constater que plus personne ne l'écoutait parler de sa femme.

Quand j'ai refermé la porte, j'ai vu que le jeune aux cheveux longs m'observait et j'ai regardé dans sa direction.

Il a eu un grand sourire comme si nous étions de vieux potes. Pointant son index comme un pistolet, il m'a tiré dessus.

UNE FOIS LES FILLES RÉVEILLÉES, elles ont mangé, se sont habillées, et nous n'avons plus trop su quoi faire de nous-mêmes. Je me suis dit que la petite devrait voir la plage. J'ai donc mis un jean déchiré, des sandales et une chemise hawaïenne aux couleurs vives que j'avais achetées la veille, puis je suis descendu à la plage avec elles. Je n'avais pas de bonnes raisons pour le faire, sinon que j'avais du temps à perdre et l'envie de voir comment la petite réagirait au sable et à l'océan. J'étais curieux.

Le père de famille se tenait devant sa chambre, la 2, une bière Michelob à la main. Il m'a adressé un signe de tête au moment où nous sortions. « Belle chemise », a-t-il dit en lançant un coup de menton.

Nous avons longé cinq pâtés de maisons et traversé le terre-plein d'une avenue pour atteindre la petite plage nichée près de la route. Des feuilles de journaux et des emballages de nourriture s'étaient accrochés à des herbes et tremblaient sous la brise. Des graminées aux tiges velues formaient une sorte de barrière autour de la pente de sable qui descendait vers l'océan. Tiffany souriait, sautillait à côté de Rocky et montrait du doigt.

139

L'océan, dans son mouvement éternel, se déversait puis se retirait.

Rocky a enlevé son short et son tee-shirt. Quand elle a vu que je la regardais, j'ai détourné les yeux. Son bikini était du genre minuscule : quatre triangles de tissu rouge – j'ai pris une grande respiration en le voyant. Son corps dessinait des courbes trompeuses et des lignes minces ; ses muscles de danseuse striaient sa peau pâle de lignes roses là où le soleil chauffait. Ses joues et son nez rougissaient, et le soleil rejaillissait en reflets blancs et dorés sur sa chevelure. Elle s'est accroupie et elle a plié ses vêtements sur le sol avec une bienséance qui m'est apparue comme massivement érotique. Elle avait des épaules larges, pour une fille de sa taille, et son dos était vallonné de muscles – le genre de muscles qu'on doit mériter.

Je me suis assis en retrait dans un petit creux sablonneux. J'avais apporté deux boîtes de Coors, et je m'en suis tapé une pendant que Tiffany courait vers la mer, complètement étonnée et trébuchant presque sur ses pieds. Rocky la sortait de l'eau, les vagues mourantes les chassaient vers le haut de la plage, et le rire de la petite fille tintait comme un carillon : le son d'un pur délice qui n'avait rien d'idiot.

Quand Rocky se mouillait, son maillot collait à sa peau comme du Kleenex trempé, et je pouvais discerner le bout de ses seins et sa fente. Elle me faisait signe, debout avec sa sœur tandis que les vagues leur retombaient dessus et les recouvraient de diamants, que la petite criait et riait, et que les eaux bleues et pourpres, derrière elles, étaient rayées d'écume et s'étendaient si loin qu'on pouvait imaginer une époque où la planète entière n'avait été que mer et ciel. Mais un bateau qui

140

tirait un skieur traversait l'horizon, et, à l'est, on pouvait distinguer une plate-forme offshore à travers la brume.

Elles sont remontées sur la plage. Rocky s'est assise près de Tiffany pour lui montrer comment construire des châteaux de sable. Pointant son doigt vers le golfe, Tiffany a demandé : « Où il va ?

— Dans l'océan.

— C'est quoi ?

— Encore plus d'eau.

— Et lui où il va ?

— Oh, arrête », a dit Rocky en lui chatouillant les côtes.

Elle avait allongé les jambes tout en tassant le sable mouillé, et comme j'avais du mal à ne pas la regarder, je me suis mis à chercher des choses sur la plage. Un petit massif de genêts où brillait un objet. Deux gamins replets qui couraient dans les vagues. Des mouettes qui se laissaient porter par des courants ascendants effectuaient des piqués soudains pour écumer la surface de l'eau avec leur bec. Très loin sur la plage, quelqu'un que je n'arrivais pas à bien distinguer maniait un cerf-volant couleur d'arc-en-ciel. Le cerf-volant tremblait, dansait et décrivait de petits cercles. Tiffany l'a vu et elle a ouvert la bouche toute grande en le montrant du doigt.

Un groupe de garçons est arrivé. Ils se lançaient un ballon de rugby, mais ils se sont tous tus et ils ont longuement regardé Rocky en passant. Quand elle les a remarqués, elle s'est mise à montrer à Tiffany comment tasser le sable.

J'ai ôté ma chemise et je me suis allongé à plat ventre sous la lumière. En essayant d'imaginer que mes cellules emmagasinaient le soleil.

Rocky a demandé : « D'où viennent ces cicatrices ?

— Lesquelles ?

— Celles qui te font des petits ronds sur le côté. »

J'ai tâté les creux dans ma peau en gardant les yeux fermés à cause du soleil. « De la chevrotine.

— Un coup de fusil ?

— Ils tiraient de loin. Ils m'ont juste envoyé une pluie de plombs.

— Et l'autre, là ? Sur ton épaule.

— Un couteau.

— Ça devait être un grand couteau.

— Ça l'était.

— Et celle-là, sur ta jambe ?

— Un chien.

— Je le savais. Je m'étais dit que ça venait d'un chien. Tu l'as tué ?

— Le chien ?

— Ouais.

— Je m'en souviens plus. » Mais je l'avais tué.

J'ai attendu qu'elle me pose d'autres questions et, comme elle ne disait plus rien, j'ai entrouvert mes paupières et j'ai vu qu'elle avait recommencé à s'occuper de Tiffany.

Une fois mes bières finies, j'ai somnolé par intermittence pendant quelques minutes, et quand je me suis réveillé Rocky était allongée sur le dos à se bronzer près de moi. Des gouttelettes d'eau et de sable collaient à sa peau, et sur son nombril la sueur s'était accumulée en une petite flaque. Il fallait que je m'éloigne – je suis donc parti en direction de l'eau.

Tiffany a poussé des cris de joie, et s'est mise à courir à côté de moi et à sauter. Le cerf-volant arc-en-ciel était toujours là-haut à jaillir et à fendre l'air doré.

La petite fille s'est arrêtée devant les vagues, puis elle a levé les bras en gémissant, comme si, par ses efforts, elle pouvait atteindre mes épaules. Je l'ai alors soulevée au-dessus de l'eau et j'ai fait semblant de la jeter dans la mer, ce qui l'a fait hurler et rire à la fois. J'avais aussi envie de crier, mais je me suis retenu. Tout en lui pinçant le nez, je me suis jeté avec elle dans les vagues, et je l'ai maintenue au-dessus de l'eau tandis que je passais dessous et que l'eau salée se déversait sur moi. Elle a ri, elle a craché et elle a ouvert la bouche d'étonnement, pas très sûre d'elle, et puis elle en a redemandé.

Pendant le reste de la journée, mes mains vides allaient garder le souvenir léger et dense à la fois de ses moments d'excitation et de ses coups de pied. Je l'ai raccompagnée sur la plage, et de temps à autre elle faisait un geste qui me paraissait très féminin, comme de ramener ses cheveux mouillés derrière ses oreilles ou de réajuster son maillot de bain en prenant tout à coup un air sérieux.

Rocky était allongée sur son lit de sable et elle avait un sourire radieux.

Je me souviens qu'un de mes potes m'a dit un jour que chaque femme qu'on aime est à la fois une mère et une sœur qu'on n'a pas eues ; et que ce que nous cherchons toujours, en réalité, c'est notre côté féminin, l'animal femelle en nous ou un truc comme ça. Ce garçon-là pouvait dire ce genre de chose parce que non seulement c'était un junkie, mais qu'en plus il lisait des livres.

Sur le chemin du retour, il m'a été impossible de ne pas me laisser distancer pour regarder Rocky de derrière dans son maillot de bain, mais je ne crois pas que j'aurais osé la toucher.

143

Vers la fin de l'après-midi, nous avons mangé une friture de crevettes et des huîtres en sandwich, puis je les ai emmenées dans la galerie de jeux le long des quais. Là, elles ont joué sur des bornes d'arcade à Whac-a-Mole et à Ms. Pac-Man, et elles ont aussi lancé des anneaux. Je me suis promené sur le quai, mais je ne les ai pas quittées du regard.

Quelques Noirs étaient installés le long du quai avec leur canne à pêche. Un canot était retourné sur la plage située au-dessous de moi. Il était percé et, à travers le trou, j'entendais un chat miauler. Des milliers de bouts de papier rouges, des billets pour gagner tel ou tel prix, jonchaient le sable.

Plus tard dans la soirée, nous avons regardé à la télé un film où jouait, je crois, Richard Boone ; et quand je les ai quittées, elles étaient fatiguées et semblaient contentes, ce qui, je m'en suis rendu compte, me faisait aussi très plaisir.

Oui, de retour dans ma chambre, j'ai pris plaisir à penser que je les avais laissées sur une note heureuse.

Et puis un sentiment que je n'arrivais pas à mettre en mots a commencé à me harceler. Comme si j'avais oublié quelque chose d'important sans parvenir à savoir quoi.

Je suis ressorti et j'ai regardé la nuit tachetée, les palmiers secoués par un vent chaud qui s'élançait vers le fleuve d'étoiles. J'ai marché.

D'antiques silos à élévateurs et des entrepôts parsemaient le Sud depuis l'époque révolue de l'exportation de coton, et quelques-uns de ces silos étaient dotés de projecteurs. On sentait dans l'air une brume salée et des odeurs de crevettes et d'huîtres. Un homme avait passé un bras autour de son ami pour l'aider à marcher.

Le cliquètement de mes bottes contre l'asphalte ressemblait à celui d'une aiguille d'horloge. Un chat gris fumée a progressé quelque temps à la même allure que moi sur le trottoir d'en face. Sur un banc d'autobus, un vieux barbu buvait quelque chose qui sortait d'un sac en papier, et il pleurait. Il m'a dit qu'il était heureux. Il était sorti de prison ce jour-là.

Quand je suis rentré dans ma chambre, tout était si calme que le tic-tac du réveil semblait avoir un grand écho, et ce petit bruit me disait qu'il était tard, de plus en plus tard, toujours plus tard.

Le temps avait passé. J'étais vieux.

LE LENDEMAIN MATIN, JE ME SUIS LEVÉ AVANT LES FILLES, et j'ai regardé l'aube se lever sur la baie où l'eau se teintait légèrement de jaune, tandis que s'éparpillaient les crevettiers, ces petites goélettes aux mâts nus comme des os et aux filets en forme de poche. Ils gagnaient le large avec toute la coordination méthodique et lente d'une migration naturelle. Le soleil du matin, comme celui du soir, chargeait le ciel de couleurs hystériques – de verts, d'orange et de rouges irréels semblables aux nuages des vieux westerns de la MGM.

Mouvements lents. Couleurs changeantes.

Je remarquais de nouvelles choses.

Ce jour-là, Rocky a dit qu'elle devrait sans doute se mettre à chercher du travail, mais j'ai répondu qu'on ferait mieux de tous aller à la plage, et c'est ce qu'on a fait.

Le soir venu, nous avons rencontré deux autres habituées du motel, les deux vieilles femmes qui partageaient la Chrysler à l'antenne cassée. Elles s'appelaient Dehra et Nonie Elliot, elles étaient sœurs, et elles avaient toutes les deux des cheveux gris et rêches coiffés en forme de chou-fleur. Elles portaient des vêtements sombres et raides, comme des ecclésiastiques, ainsi qu'un épais crucifix autour du cou.

Lance avait commencé à faire griller des hamburgers. Quant à moi, j'étais sorti de ma chambre avec un pack de six Coors. Les filles sont arrivées aussi, et après avoir regardé Tiffany depuis leur fenêtre du numéro 12, les deux sœurs se sont risquées à venir faire sa connaissance.

Elles se sont pliées en deux pour serrer la main de Tiffany qui se mordait le pouce d'un air plutôt sage.

Elles avaient des expressions gentilles, amusées, et elles promenaient leur dos bossu avec dignité comme un fardeau dont on ne parle pas. Celle qui s'appelait Dehra portait des lunettes et avait tendance à être plus loquace que l'autre.

On a l'air moins louche quand on accepte de rencontrer des gens.

Dehra m'a dit : « Nous avons quatre sœurs qui sont des religieuses chez les sœurs de Saint Joseph à Houston. Avant, nous vivions à Denton, mais nous avons vendu la maison de nos parents. Nous comptions acheter quelque chose en Floride, mais, voyez-vous, nous n'avons fait que circuler à l'intérieur du Texas, en fait.

— Bon, a dit Nonie, mais c'est parce qu'on voulait rester près de nos sœurs.

— C'est vrai. Mais ça fait trois semaines que nous sommes ici.

— On dit toujours qu'on va chercher un endroit plus permanent.

147

— Je ne sais pas pourquoi. On n'arrive pas à rassembler assez d'énergie pour en trouver un. »

Il y avait en elles quelque chose d'enfantin, et leurs visages calmes, asexués, étaient dépourvus de ruse. Je leur ai demandé : « Est-ce que vous allez souvent à la plage ?

— Oh, bien sûr que non. Nous n'aimons pas beaucoup le soleil. »

Pendant qu'elle disait cela, sa sœur essayait d'offrir à Tiffany du chewing-gum à l'essence de girofle, mais la petite tournait timidement autour des jambes de Rocky. J'ai eu envie, l'espace d'un instant, de dire à cette femme ce qu'il en était de mes poumons.

Lance avait installé une table de jeu pliante, et Nancy avait apporté un sac de pains à hamburger, du ketchup, de la moutarde et des assiettes en carton. Elle a posé le tout sur la table et m'a dévisagé.

« Je me souviens, pas plus tard que l'autre jour, vous aviez plein de cheveux partout. Et maintenant, regardez-vous. Vous avez peur qu'on vous reconnaisse ? »

J'ai répondu : « Il fait trop chaud, par ici, avec tous ces cheveux. »

Lance a fait sauter les hamburgers pour les retourner et il a dit : « Je parie qu'ils seront aussi bons que ceux qu'on mangeait à Austin. Au Greenbelt Grill. Tu t'en souviens, chérie ? »

Nancy l'a regardé en fronçant les sourcils.

Il s'est adressé à moi : « C'est un bistro qui fait de la cuisine campagnarde. On avait l'habitude d'y aller. » Puis, se tournant de nouveau vers Nancy : « Tu t'en souviens ? »

Elle s'est contentée de pousser un soupir très bruyant et de rouler les yeux dans sa direction comme si elle avait pitié de lui, comme s'il s'était mis dans une situation peu reluisante. Elle est repartie vers le bureau.

À présent, Tiffany s'amusait avec les deux vieilles sœurs et les faisait rire.

« Elle était pas du tout comme ça, avant, a repris Lance. Elle s'est rangée avant moi, et faut croire qu'elle est allée un peu loin dans ce sens. Je sais ce que vous pensez, mais, vous savez, moi, je vois pas Nancy comme elle est maintenant. Je vois la Nancy que j'ai toujours connue, et elle avait plein de côtés différents. Elle aime bien que je conserve tout ce passé, même si elle fait semblant d'être contrariée. »

Rocky était sortie, comme d'ailleurs le jeune du numéro 8. Il avait de longs cheveux roux et un air plutôt studieux, délicat, et ses bottes de moto et son jean déchiré détonnaient fortement.

Ils se sont mis à bavarder ensemble, contre le mur près des chambres, et il a dit quelque chose qui a fait rire Rocky. Il portait un tee-shirt gris à manches longues, et ses étroites épaules étaient un peu voûtées. Il gardait les mains dans les poches.

Quand il a vu que je regardais, il a salué d'un geste. Rocky paraissait tendue.

Le père est sorti de la chambre numéro 2. Il a entrouvert la porte juste assez pour se glisser dehors et l'a refermée derrière lui. Et il s'est léché les lèvres en examinant la bouffe.

Debout près du gril, il a semblé balayer du regard tous ceux qui se trouvaient là, avant de lancer : « On bave tous devant ces hamburgers comme des chiens affamés ! » Il ne s'adressait à personne en particulier, et il guettait les réactions. Comme aucune ne venait, il a pris l'air de s'absorber dans ses pensées.

« Moi, c'est Tray », a dit le garçon aux cheveux roux. Il m'a tendu la main. Il avait de fines poches grises sous des yeux qui cillaient. Prenant alors une de mes bières, Rocky s'est mise à boire à petites gorgées.

J'ai serré la main du garçon. « Tray Jones », a-t-il précisé. Son regard a sauté de mes bras jusqu'à mes yeux ; il avait l'air de vouloir me dire quelque chose. Il était si maigre que j'avais l'impression que sa chemise l'écrasait. Il a dit : « La plupart des gens m'appellent Killer [1].

— Ça m'étonne pas. »

Le père a pris les trois hamburgers suivants. Je me demandais si je n'allais pas dire quelque chose, et puis quand j'ai remarqué qu'il allait les rapporter dans la chambre, j'ai laissé passer, content de le voir s'en aller.

Il les avait empilés sur une seule assiette, et il nous regardait encore par-dessus son épaule lorsqu'il a regagné sa chambre et ouvert sa porte. Il a même jeté un dernier coup d'œil dans ma direction alors qu'il se glissait à l'intérieur par une ouverture d'à peine quelques centimètres.

Tray Jones était toujours debout à côté de moi. « Vous avez vu les gosses de c'gars-là ? On dirait que ça fait quelque temps qu'ils ont pas bien bouffé. »

J'ai hoché la tête. Assise sur le perron, Rocky regardait les vieilles dames parler à Tiffany.

Il a sorti un paquet de cigarettes mentholées et m'en a offert une. Je l'ai refusée. Il l'a allumée et il a demandé : « Où c'que t'étais en cabane, mon frère ?

---

1. Tueur. *(N.d.T.)*

— Quoi ?

— Pas de panique, *man*. Je détecte à tous les coups un vrai taulard. Rien qu'à ta façon de manger tes saucisses, *man*. » Il a gloussé. « Tu vois ? »

J'ai pris une cigarette et j'ai dit : « Nulle part.

— Ouais, c'est ça. D'accord. » Il a hoché la tête, et il m'a offert du feu. Il avait les ongles rongés jusqu'à la chair, et sa chemise tombait au-dessous de ses poignets tout minces. Je me suis dit que ses bras devaient porter quelques traces. « C'est à Rowan, Oklahoma, que je suis tombé, a-t-il dit. Évite-toi des ennuis, reste dans le Sud.

— Tu as quel âge ?

— J'ai eu vingt-six ans en mars.

— Et tu faisais quoi, à Rowan ?

— Oh. » Il a soulevé les épaules pour prendre une taffe. « Je bossais avec un vieux pote, un mec avec qui je faisais plein de trucs. Mon partenaire. On se débrouillait bien, jusqu'au jour où il s'est bastonné dans un bar. Ils sont venus le chercher et ils ont regardé dans sa voiture. Moi, je savais même pas comment ça avait démarré. Je roupillais sur la banquette arrière.

— Hmm. »

Lance a dit : « Encore trois de prêts. »

J'ai dit aux filles de manger sans m'attendre. Les vieilles dames ont accompagné Tiffany jusqu'à la table et l'ont aidée à assaisonner son hamburger. Tray restait près de moi.

Je me demandais ce qu'il attendait de moi, ce gamin.

« Il y a des gens, par ici, a-t-il dit. Des gens que je connais. »

Je n'ai rien répondu et j'ai terminé ma bière.

« Tu sais à qui tu me fais penser ? » a-t-il dit.

J'ai haussé les sourcils et dévissé la capsule d'une nouvelle bière.

« À un mec dans un film. Comment il s'appelle ? Dans le film sur les combats de coq. Et dans l'autre aussi. Un brave gars de chez nous qui circule avec une tête dans sa caisse. »

J'ai réfléchi un instant. « Un mec qui ressemble à un cheval.

— D'accord, mais il est quand même pas mal.

— Tiens. » Je lui ai tendu une bière et j'ai emporté dans ma chambre ce qui me restait de la mienne. Je n'avais pas faim.

Le ciel était d'un rouge sans fond, et les ombres tournaient sur le bitume fendillé.

IL ÉTAIT MINUIT PASSÉ. J'avais ouvert une nouvelle bouteille de whisky Jameson parce que je n'arrivais plus à dormir si je n'avais pas pris ma dose. J'en étais à la seconde moitié de cette bouteille quand le temps s'est mis à se concentrer et à m'inonder de moments perdus, de fantasmes qui s'ouvraient et se refermaient comme des boîtes de puzzle, ce qui fait que j'ai du mal à me rappeler la suite exacte des événements. Une certaine obsession orientait pourtant mes pensées. J'avais envie de pleurer, mais je n'y parvenais pas tout à fait. La première fois que j'avais vu mes radios, je m'étais dépêché de partir du cabinet du médecin : j'avais poussé la porte dès que j'avais entendu les mots *carci-nome bronchique à petites cellules*.

Maintenant, je voulais savoir combien de temps il me restait. J'avais dû demander aux renseignements le numéro de téléphone personnel du médecin.

J'ai le vague souvenir d'avoir été excité, d'avoir lancé des jurons, et aussi d'un homme qui a répondu au télé-phone comme s'il était endormi. J'ai également entendu une voix de femme derrière lui. Je crois que j'ai dû lui rappeler qui j'étais et qui m'avait envoyé le consulter.

Il me semble que j'ai dit quelque chose du genre : « Combien de temps ? Combien est-ce qu'il me reste de temps ? »

Il a répondu qu'il ne le savait pas, qu'il ne pouvait pas le dire, et il a tenté de m'expliquer qu'il fallait d'autres tests, des biopsies. Oui, il y avait une très forte probabilité que je sois atteint de carcinome à petites cellules. Je pense qu'il a essayé de me convaincre de revenir le voir.

« La dernière fois, vous vous êtes enfui du cabinet. On n'a pas vraiment pu vous parler des options de traitement. »

Je crois que je me suis senti profondément insulté par son incapacité à me répondre ; j'avais l'impression qu'il prenait un ton paternaliste et, soudain, j'ai éprouvé une grande haine à l'égard de cet homme. J'avoue que, dans ma tête, certaines connexions essentielles ne se faisaient pas à ce moment-là. Je le revoyais, lavé de frais et tout rose, avec ses cheveux gris bien peignés et leur raie soignée, en train de m'annoncer froidement ma mort dans un langage parfaitement rodé.

J'ai eu l'impression pendant une seconde, là, dans cette chambre de motel obscure et envahie par le sel, en pleine nuit, alors que mon haleine brûlante collait au combiné, que j'avais localisé le principal coupable, l'ennemi qui avait gâché toute ma vie.

Et maintenant je crois que j'avais envie de l'entendre prendre peur. Comme moi.

« Putain de toubib de merde, enculé de charlatan ! j'ai dit. Tu veux que je revienne ? Je vais revenir. Et alors, on verra si tu me donnes pas une réponse correcte. »

Il s'est élevé contre ma colère, il a protesté de son innocence.

« J'ai ton adresse ici même, sale con ! 2341 Royale. Sans doute une grande baraque. Évidemment.

— Quoi ? Non, non… Écoutez…

— Ta bonne femme, elle sait que tu joues ? Elle sait combien de fric tu dois ? Dégénéré de merde.

— Bon. Bon, écoutez… Arrêtez juste une seconde… »

Je crois que c'est peu après ce moment-là que j'ai raccroché brutalement. Je dois avoir balancé le téléphone à travers la pièce, parce que le lendemain matin il était en morceaux, contre le mur d'en face, et la ligne téléphonique avait été arrachée à la prise.

Quand je me suis réveillé, le soleil se levait et la chambre était chaude, mon oreiller trempé de sueur. J'étais torse nu, et ma poitrine était couverte d'éraflures rouges, de griffures comme si une bête sauvage m'avait attaqué. J'ai regardé mes ongles et les marques sur ma poitrine. La bouteille gisait par terre, et je me suis posé quelques vagues questions sur la manière dont le téléphone avait changé de place.

J'ai éprouvé l'horreur trouble qui accompagne certaines gueules de bois où l'on se demande ce qu'on a fait exactement, quelles ardoises on s'est collé sur le dos.

Mais je ne me rappelais aucun coup de téléphone. J'ai mis l'appareil cassé sur le compte des dégâts collatéraux ordinaires qui affectent les objets fragiles quand on boit comme ça.

J'AI ACHETÉ DES JOURNAUX. Un quotidien local pour les petites annonces, puis le *Houston Chronicle* et le *Times-Picayune* de La Nouvelle-Orléans.

Dans le *Times-Picayune*, un bref article disait qu'on recherchait Sienkiewicz pour l'interroger dans le cadre d'une enquête en cours.

On sous-entendait qu'il avait fui la ville.

Aucune mention de Stan Ptitko. Rien sur Angelo ni sur les autres hommes et femmes de la maison de Sienkiewicz à Jefferson Heights.

J'ai réfléchi à ce que Stan pouvait faire. Avait-il lancé des gens à nos trousses ? Combien étaient-ils, et jusqu'à quelle distance allaient-ils chercher ? Au bout du compte, ça n'avait pas d'importance : nous étions des aiguilles dans une botte de foin.

Je détenais toujours ce dossier que j'avais récupéré chez Sienkiewicz, mais je ne voyais pas en quoi il pouvait vraiment me servir. Je le posterais peut-être au procureur avant de prendre la direction du Mexique.

Je n'arrêtais pas de me dire que j'allais les quitter. D'abord, j'ai pensé que ce serait quand je leur aurais trouvé un endroit où elles pourraient rester quelque temps. Puis j'ai décidé que ce serait lorsque Rocky aurait du travail.

J'ai étalé les petites annonces sur le lit.

« En voilà une pour une hôtesse d'accueil. Et là une autre. Baby-sitter. Tu pourrais faire ça. »

Elle faisait les cent pas devant la fenêtre. De nouveau dans son tout petit short. Nancy avait récupéré quelques vieux jeux de société dans le bureau, et Nonie et Dehra avaient demandé si elles pouvaient garder Tiffany deux ou trois heures.

« Quoi ? j'ai dit.

— Oui, comment est-ce que je m'y prends ?

— Tu t'habilles bien, tu y vas et tu demandes un formulaire. Tu prends un stylo avec toi et tu remplis le formulaire.

— Mais ce que je veux dire, Roy, c'est : Qu'est-ce que je mets dans le formulaire ? J'ai encore jamais eu de job. »

Ça m'a donné à réfléchir.

J'ai sorti du tiroir de la table de nuit un bloc de petites feuilles jaunes, et j'ai tapoté le crayon contre mes dents. Puis j'ai écrit l'adresse de deux endroits. L'un était un bar de Morgan City, l'autre était un bistro à barbecue de La Nouvelle-Orléans. Les deux avaient entièrement brûlé dans des incendies au cours des dernières années. D'ailleurs, je les avais regardés brûler.

J'ai tendu la feuille à Rocky. « C'est là que tu as travaillé. Invente des dates qui collent pour toi. Dis-leur simplement que ces boîtes sont fermées. Mais que tu es restée jusqu'à la fermeture parce que c'est comme ça que tu es – tu laisses pas tomber. T'es fidèle. »

Elle s'est assise sur le lit en secouant la tête comme si elle soulevait des arguments contraires. « J'sais pas, Roy.

Je sais vraiment pas quoi faire. Je sais pas comment m'y prendre.

— Eh bien, tu vas être obligée d'apprendre. »

Ses yeux étaient noyés de larmes et fixaient l'horizon. J'ai pensé à tout ce que j'ignorais d'elle et je me suis demandé ce qui, en elle, l'avait menée chez Sienkiewicz. C'était pour le moins un manque criant de jugement, mais il était possible que ce soit encore pire.

« Tout ce qu'il faut, c'est que tu fasses la charmeuse pendant qu'on te parle. Et ça, tu en es capable. »

Elle a jeté vers moi un bref regard fou, chargé d'une hystérie qui couvait. Je me suis rappelé à quelle vitesse son rire pouvait virer au désespoir.

« Il faut que tu voies les choses comme ça : n'importe qui sur terre, aussi con soit-il, peut trouver un boulot. Donc tu y vas et tu le fais. »

Elle a hoché la tête et s'est essuyé les yeux avant de fixer les rideaux.

Nous avons entendu le hurlement de sirènes qui passaient à toute allure devant les fenêtres, et le lit a grincé quand je me suis levé.

« Tu peux rester ici un moment, a dit Rocky. Les dames, là, vont veiller sur Tiffany. »

Je me suis arrêté près de la porte. Elle a étiré ses jambes, s'est reposée sur ses coudes, et le lit a grincé de nouveau. Je lui ai lancé un regard qui l'avertissait de ne pas faire n'importe quoi avec ses jambes.

Elle s'est alors mise à parler. « J'ai jamais vu mon père. Ma mère m'a raconté deux histoires différentes sur lui. Dans l'une, il était en prison ; dans l'autre, il était mort. Ma mère a rencontré Gary dans le night-club où elle travaille. Il y a eu des fois où je restais assise sur le siège arrière. Pendant qu'elle sortait avec quelqu'un. Je circulais sur les sièges arrière. Chaque fois que j'ai envie de dire que Gary était mauvais, je pense à lui comme à un feignant. À un gros connard, gras et feignant. De plus en plus gros chaque année. Il a commencé à haleter s'il fallait chercher la télécommande. Je me dis qu'il y a des formes de fainéantise qui rendent mauvais. »

J'ai laissé la porte et suis retourné m'asseoir. J'ai offert une autre Camel à Rocky. Elle a attendu pour raconter la suite, prenant d'abord une bouffée et passant ensuite sa langue sur ses dents.

« Il y a à peu près quatre ans, ma mère est partie. Ce que je veux dire, c'est que Gary en parlait comme si elle s'était enfuie. C'est peut-être vrai. Il se pourrait qu'elle se soit tirée une nuit pour ne jamais revenir. Mais je crois qu'il lui est arrivé quelque chose. »

Nous avons fait tomber nos cendres en même temps, et le bout de sa cigarette tremblotait.

« Voilà ce qu'il a fait un jour : il a décidé d'élever des lapins. Il vit de trucs versés par l'État. Il s'est fait quelque chose à l'usine autrefois, mal à une jambe, et c'est surtout de ça qu'il vit. Ma mère trouvait que c'était une idée débile. Elle travaillait dans un night-club de Westlake. Je sais qu'il y a eu des nuits où elle est pas rentrée. Donc, il est possible qu'elle se soit enfuie. Peut-être parce qu'elle pensait aux lapins. »

Elle a croisé les jambes et j'ai tourné mon regard vers les rideaux.

« Il a dépensé un peu d'argent pour ça. Il m'a fait travailler dehors, l'aider à poser des clôtures grillagées, et faucher tout le terrain derrière la maison avec une tondeuse empruntée qu'on poussait avec les bras. Et ce soleil ! On a passé des semaines à construire une sorte

de poulailler, et après il a dit qu'il suffisait d'aller chercher quelques lapins – des gros, d'une race spéciale –
et de les mettre là, peut-être même rien qu'un couple,
et en deux mois on aurait toute une tapée de lapins. Il
suffisait de leur donner à manger et de l'eau. Et puis on
les vendrait en ville. Pour la viande et la fourrure, parce
que ces lapins-là ont une bonne fourrure. Moi et ma
mère, on a été sidérées de voir que ça se passait à peu
près comme il l'avait dit. Je devais avoir onze ans. On
n'avait pas de chiens et de chats, et j'aimais avoir tous
ces lapins autour de moi. Ils étaient énormes. Si tu les
tenais sous les pattes de devant et tu les soulevais
jusqu'à ce que leurs orteils touchent à peine le sol, ils
t'arrivaient à l'épaule. En tout cas, ça s'est passé comme
ça pendant deux mois. Des lapins blancs, noirs et
tachetés. Gary arrêtait pas de nous sortir des chiffres
qu'il notait sur du papier, à la table de la cuisine, en
essayant de trouver combien rapporterait sa première
portée. Et il dépensait l'argent d'avance. Mais tout ça,
c'était avant le mois d'août où la chaleur est devenue
si mauvaise que j'ai vu l'herbe sécher et la cour se transformer en terre. Comme il y avait trop de lapins à
nourrir, Gary en a enlevé la moitié. Il nous a obligées,
maman et moi, à aller avec lui à Lake Charles pour
vendre ce contingent-là, tous dans des cages en fil de fer
à l'arrière de son pick-up. Il en a pas obtenu autant
qu'il avait cru. Et de loin. Les magasins qui vendent des
manteaux de fourrure lui ont dit que ça marchait pas
comme ça. Ils ont tous fini chez le boucher, pour pas
grand-chose. Alors il s'est senti vexé, et maman aussi
était vexée, qu'il en ait pas obtenu ce qu'il croyait, et de
loin. Je me souviens que ça m'a fait de la peine, quand
on s'est retrouvés chez le boucher et que j'ai vu pendus

partout des animaux sans peau. Gary et maman étaient tellement en colère qu'il a dit : "Merde. Allons boire un coup." Ils y sont allés, et moi je suis restée dans la chambre. C'est à ça que je pensais il y a un instant, là, dans la chambre d'à côté. Je me revoyais rester toute seule dans cette chambre. Parce que j'y ai passé deux jours. Dedans, à regarder la télé, et ces deux matins-là je suis allée manger des céréales au comptoir où on servait le p'tit déj. Attendre, maintenant, je supporte plus. Ils sont revenus au bout de deux jours, et ils avaient l'air dévastés, en colère, les fringues tout abîmées. Ils puaient comme des bêtes. Et même le peu d'argent que Gary avait récolté était parti, et maman devait retourner au boulot. On est tous rentrés à Orange.

» C'est à ça que je pensais. Au temps que j'ai passé assise dans cette chambre. Comme quand j'étais assise sur le siège arrière de la voiture. » Elle s'est curé un ongle et elle a tripoté sa cigarette.

« Et les lapins de Gary. Quand on est rentrés, la première chose qu'on a remarquée dans la cour, c'était qu'elle était pleine d'oiseaux. Tout un tas d'oiseaux et deux ou trois gros vautours qui me donnaient envie de pleurer rien qu'à les regarder Il a crié et il les a fait partir, mais j'ai vu un des vautours arracher un ruban de chair avant de s'en aller en battant des ailes. Tous les lapins étaient étalés dans la cour. Ils étaient tous, plus d'une douzaine, étendus par terre sans bouger. À moitié dévorés. On a découvert qu'ils avaient eu trop chaud, ils étaient restés sans eau, et voilà, ils avaient suffoqué. Je me souviens que ma mère s'est mise à taper sur Gary avec son sac à main. Elle était tellement en colère qu'elle pleurait. Moi, je pleurais depuis le moment où on était arrivés en voiture et que j'avais vu les grands oiseaux, mais ensuite je crois que je hurlais. On hurlait toutes les deux contre lui et on pleurait, et lui, il avait juste l'air pitoyable, gras, larmoyant, avec la gueule de bois. De toute façon, c'était sa nature d'être comme ça. Je crois que c'est la dernière fois qu'il a essayé de gagner de l'argent. À part vendre de l'herbe dégueulasse qu'il faisait pousser derrière la maison. »

Elle a dégagé d'un mouvement sec quelques cheveux qui lui tombaient sur le front, et elle a levé les yeux. La moue qu'elle a faite alors était un peu maladroite, manquait de raffinement, et la lourdeur de ses paupières semblait exprimer des choses très précises.

Je me suis levé et me suis dirigé vers la porte. Il y avait une partie de moi qui désirait Rocky, et j'avais du mal à mettre en mots ce qui me retenait. Je ne voulais pas y penser.

Je lui ai dit : « Va dormir, maintenant. »

Dans ma chambre, j'ai pris conscience du fait que si sa mère était partie depuis quatre ans, c'était avant la naissance de Tiffany. Je ne voulais pas penser à ça non plus.

JE ME SUIS REDRESSÉ D'UN COUP dans mon lit, la respiration coupée. À travers les rideaux, les éclairs des gyrophares de la police striaient la pièce de rouge et de bleu. Les lumières avaient beau être silencieuses, j'étais assourdi par le battement de sang qui résonnait dans mes oreilles.

J'ai roulé hors du lit, j'ai farfouillé pour prendre le coffret et j'en ai tiré mon 9 mm que j'ai chargé. Puis, accroupi près de la porte en métal, les deux mains sur le pistolet, je me suis efforcé de maîtriser ma respiration, de lui imprimer un rythme lent et profond. Pour aligner le guidon sur le cran de mire, il faut rendre parallèles les deux lignes lumineuses qui encadrent le guidon. Ensuite, on relâche sa respiration et on appuie sur la détente comme si on resserrait le poing. On ne la tire pas en arrière.

J'attendais le moment où ils frapperaient à la porte. De dehors me parvenaient des voix lointaines, basses, officielles. J'ai rampé jusqu'à la fenêtre et j'ai jeté quelques coups d'œil par les côtés.

Deux voitures de police étaient garées devant la chambre numéro 2. Une autre attendait dans la rue et

163

bloquait l'entrée du parking ; les trois ensemble, par leurs lumières, produisaient un carnaval paranoïde.

Il y avait aussi une ambulance.

Nancy était dehors, dans un long peignoir, les bras croisés. Lance lui avait posé une main sur l'épaule, et ils suivaient les événements au milieu des ombres pourpres entourant sa chambre. Un peu plus loin, la porte de la 2 était ouverte. C'était là que se concentrait le brouhaha.

Peu de temps après, le père est sorti, encadré par deux agents. Torse nu, il avait un œil au beurre noir, les mains menottées dans le dos, et sa grosse bedaine s'étalait par-dessus son jean. Il paraissait défait, humilié et effrayé.

Juste derrière lui, deux auxiliaires médicaux poussaient un chariot-brancard portant une forme couverte d'un drap. Un des bras pendait sous le drap, et la main – une main de femme – ressemblait à une minuscule griffe au bout d'un énorme jarret. Dans la nuit, les éclairs de lumière teintaient cette peau de bleu et de rouge.

J'ai repéré les gosses qui regardaient la scène depuis le siège arrière d'un véhicule de police où la barrière grillagée entre les sièges leur dessinait des hachures sur le visage. J'ai rabattu le rideau et je me suis éloigné de la fenêtre.

N'arrivant pas à dormir, j'ai zappé d'une station de télé à une autre pendant presque une heure sans jamais parvenir à suivre quoi que ce soit. Les lumières de la police avaient disparu. Je suis sorti pour voir si Nancy ou Lance étaient toujours là, pour essayer de savoir ce qui s'était passé au numéro 2.

164

La seule personne dehors était le jeune rouquin, Killer Tray, qui fumait une cigarette près de sa porte et sirotait une bouteille de Lone Star. Il a soulevé la bière, l'a agitée dans ma direction en penchant la tête.

Je voyais bien que je n'arriverais pas à dormir, et la perspective d'une bière froide m'a poussé à traverser le parking.

Il a dit : « La femme était dans cet état depuis un bon moment », en indiquant de la tête la chambre numéro 2 dont la porte était barrée par du ruban de police jaune. Il est rentré une seconde, puis il est ressorti avec une nouvelle bière qu'il m'a tendue.

Je lui ai demandé : « Qu'est-ce qu'il a fait ? » La bière n'était pas tout à fait assez froide, mais elle me soulageait quand même.

Il a haussé les épaules. « Il a fallu pas mal de temps. Un des gosses a fini par parler à Nancy. » Il a tiré sur sa cigarette avec l'air de celui qui se veut laconique, une pose qu'il avait répétée mais ne maîtrisait pas encore. « Les flics ont embarqué les gosses. Ils l'ont embarqué, lui aussi. Ils ont dit à Nancy que la femme avait des hématomes sur le milieu du corps. »

Ce dont je me souvenais, c'était à quel point cet homme m'avait paru impuissant, et on devinait que c'était cette impuissance qui l'avait rendu cruel.

« Ces filles, c'est tes nièces ? » La voix du jeune était haut placée, avec une très forte intonation traînante – un accent texan bien rodé.

« Ouais.

— Alors, t'es juste en vacances ? Je parlais avec l'aînée de tes nièces. Elle a dit que tu les avais emmenées ici pour la plage. Elle a dit que son père était mort. »

165

J'ai fait oui de la tête. Une brise chaude a ridé le ruban de police qui barrait la porte et fait bruire des palmes.

« Désolé de l'apprendre. » Il a lancé son mégot de l'autre côté du parking et il s'est passé les doigts dans les cheveux. « Moi aussi, je suis en vacances. Je fais profil bas. »

J'ai laissé passer et j'ai bu une gorgée de Lone Star.

« Si je peux demander : pourquoi est-ce que t'es allé en cabane ? »

Je lui ai balancé un regard dur et j'ai roulé les yeux au ciel en réponse à sa question.

« D'accord, pas de problème, mon frère. » Il s'est gratté le cou, une peau irritée que les vibrations de la pâle lumière rendaient grenue et cendreuse. Il n'était pas beaucoup allé à la plage. Sur sa mince charpente, ses longs cheveux roux prenaient un aspect féminin ; quant à ses traits, anguleux comme le besoin, ils parlaient de privations. Mais il est possible que ses insuffisances aient suscité de la compassion chez moi, parce que je me suis rappelé quels efforts j'avais dû fournir à son âge pour ne pas montrer ma peur.

« Si je demande, a-t-il repris, c'est que je voulais savoir si tu cherchais du boulot. Si tu voulais gagner des sous. Pendant que tu es, ouais, en vacances. »

Je l'ai regardé de biais, ce gamin maigre et gris. Il a levé un sourcil avec une sorte de cran qui me montrait quelque chose. Mais ce que je voulais surtout, c'était une autre bière.

« Qu'est-ce que tu proposes, Killer ? »

DANS SA CHAMBRE TAPISSÉE DE PAPIER ALU, des vêtements débordaient d'un sac-poubelle, et un sac à linge sale semblait rempli d'objets lourds aux arêtes vives. Des tendeurs enroulés autour du sac permettaient de l'accrocher à sa moto. Pas grand-chose d'autre dans la chambre, sinon quelques croquis sur la table et deux livres. La couverture de l'un des deux annonçait : *Alarmes électroniques modernes.* L'autre, de couleur blanche, s'intitulait *777 et autres écrits cabalistiques.* Des feuilles de papier jaune portaient des dessins, des gribouillis à l'encre, des schémas, des griffonnages bizarres.

« *Man*, je savais que tu serais d'accord. Je le voyais. J'ai l'œil pour ça. »

J'avais pris une autre de ses bières et allumé une cigarette. Je l'ai regardé rassembler ses papiers, les entasser sur les livres. Il bougeait ses mains de manière tatillonne, méticuleuse, pour rendre bien lisse chaque côté de la pile et aligner les angles des livres avec le bord de la table. Il en paraissait presque timide, comme s'il ne pouvait pas s'en empêcher. Ses lunettes rondes, en

167

métal, lui donnaient encore plus l'aspect d'un écolier, d'un intellectuel qui se shooterait.

« D'accord. On y est, *man*. M. Robicheaux. Au fait. À ton avis, qu'est-ce que je fais ? Ce que je veux dire, c'est comment est-ce que tu crois que je m'en tire ? »

J'ai juste pris une taffe et j'ai laissé la fumée se déployer sur mon visage pendant que je le fixais du regard. « Pas la moindre idée.

— D'accord. Ça, *man*, ce que tu vois là... c'est ce que je fais. Je suis un voleur, un putain de voleur hors classe. »

Je n'ai pas proposé d'autre réponse que de plisser les yeux dans la fumée qui s'élevait entre nous.

« O.K., O.K. Tu vas dire : "Et alors ?" Je sais. Tu vas dire : "Tant mieux pour toi." Bon, mon truc, c'est que je vais pas passer une partie de ma vie une fois de plus en cage. Mon truc, c'est que je me lance pas dans une affaire sauf si elle est béton, si elle est sans risques et qu'elle rapporte gros. » Il a sorti quelques-unes de ses feuilles jaunes où étaient esquissés des plans de bureaux, des schémas grossiers. Il y a beaucoup de drogués parmi les bons voleurs. Quand ils maîtrisent leur addiction, ils peuvent être des pros efficaces, mais ça ne dure jamais. Pendant un temps, ils restent assez loin de leur drogue pour fonctionner et assurer quelques coups, et puis arrive le moment où ça marche si bien qu'ils font le truc de trop qui les envoie en cabane. Et le cycle redémarre à la sortie. J'ai remarqué que la chair entre les doigts de Tray portait des zébrures semblables à des piqûres de chique. « J'avais un partenaire, *man*. Un mec bien. Solide. C'était le, comment dire ? oui, ce qu'on appellerait le muscle de l'opération, plus ou moins. C'est lui qui m'a tout appris. Il

168

s'occupait du transport, mettait parfois la thune pour acheter la came. Un pro. Un mec bien. »

Derrière lui, le papier alu sur la fenêtre retenait dans ses plis nos reflets ternes, et j'ai failli lui demander pourquoi il le mettait.

« Il est plus là, maintenant, mais on formait une bonne équipe. Il est mort. Quelques braves gars d'chez nous l'ont balancé dans un marais de l'Alabama. » Je l'avais pris pour un petit escroc à la manque, mais quand il a mentionné son pote, une vraie tristesse est passée dans ses yeux, et je me suis dit que ce gamin se sentait seul, ce qui m'a rappelé comment j'étais moi aussi autrefois. Il n'avait pas encore tout à fait appris à porter sa solitude. Il faisait semblant d'avoir dépassé des choses qu'en fait il trimballait toujours. Il a dit : « C'est seulement maintenant que j'ai des affaires en route. J'ai des projets.

— Tu voles quoi ? »

Son visage s'est contracté comme si la question était absurde. « Des produits pharmaceutiques, *man*.

— Tu te fais des médecins ? »

Il a haussé les épaules, et son expression s'est figée pour souligner que la chose était évidente. « Écoute, *man*. Ce qu'il y a, je le jure, c'est que je peux écouler des produits de base en deux ou trois jours. C'est top. Je parle de sommes comme trente mille dollars, *man*. Par exemple, il y a un mec qui dirige une clinique dans l'avenue Broadway. Je connais une des femmes de ménage. »

Je n'ai rien dit, ce qu'il a pris pour un encouragement.

« À Corpus Christi et à Houston, je peux revendre. En trois jours. Trente mille, c'est l'estimation basse. Sérieux. Il y a un mec – c'est pratiquement le médecin de tous les mecs honnêtes qui ont une baraque de vacances ici. Et de leurs nanas, leurs épouses. C'est lui qui leur fournit leurs médocs. Il a une pharmacie d'échantillons de dope sur place, toujours pleine. Je parle d'amphètes : de benzédrine, dexédrine, biamphétamine. D'ecstasy. Tu connais ? Ce bâtiment, je le possède comme ma poche. La femme de ménage m'a passé toute l'info sur leur système d'alarme. J'ai des Polaroid. C'est que dalle, *man*. Des alarmes par contact magnétique. Je les déconnecte en dormant. C'est rien à faire.

— Et tu as besoin de moi pour quoi ?

— O.K. D'accord. » Il a éteint sa clope et en a allumé une autre, puis, après avoir fouillé dans quelques papiers sur son bureau, il m'a montré un schéma grossier – le plan d'une pièce. « J'ai besoin de quelqu'un avec un fourgon et d'un mec qui m'aide à la revente. De quelqu'un qui m'aidera à entrer et qui m'ouvrira la porte de dehors quand je serai à l'intérieur. Qui m'aidera à transporter la came. Mon truc, c'est de me cacher dedans jusqu'à ce qu'ils ferment tout. Je sors, j'évite l'alarme – il suffit de faire un court-jus. Et puis on déménage la came, et là il faut se bouger. De la porte de derrière jusqu'au fourgon. En fait, un mec comme toi serait vraiment utile pour transporter la came. J'ai tous les clients, mais, comme tu sais, les gens qui s'intéressent à ce genre de truc sont plus ou moins des raclures. On peut pas leur faire confiance. Tu sais quoi ? Wilson était super, pour ça. Une grande baraque comme toi. Toujours chargé. Personne aurait essayé de l'arnaquer, Wilson. Tandis que moi, tout le monde croit pouvoir me baiser. Bon. Tu sais. Je crois que surtout ce genre de machin se passe bien plus facilement s'il y a une vraie terreur de l'autre côté de la table quand on se met d'accord sur le deal. Un mec dans ton genre.

— Qu'est-ce qui te fait croire que tu pourrais me faire confiance ?

— Je sais que t'as été en taule. Mais je t'ai aussi vu avec tes nièces, *man*. Comme tu agis avec ces filles. T'es un vrai Blanc, c'est sûr. T'as envie de faire un bon paquet de fric pour les tiens, il me semble. T'as ce bon sens-là, mais aussi t'es assez dur. T'es pas un junkie, ça, je peux le voir. »

J'ai tapoté sur la table. Un vent chaud roucoulait dehors.

« Comment est-ce que t'en es arrivé là, Tray ? »

Il a ri tout seul. Des dents minuscules ont paru presque flotter.

« J'étais dans un foyer à Houston. Je me suis tiré quand j'avais quinze ans. J'ai commencé à chourer. Je me suis bien débrouillé quelque temps. Je pieutais où je pouvais. Je connaissais d'autres jeunes. Un jour, je suis tombé sur Wilson. J'avais dix-sept ans. Je me disais que j'irais jamais jusqu'à vingt. J'étais dans un grand magasin, un Maison-Blanche, tu vois, pour tirer deux montres. Quand je m'y revois, je me dis que j'étais vrai-ment facile à repérer, mais à l'époque je me croyais hyper rusé. Bon, j'avais pris pour deux cents dollars de trucs quand un grand mec passe à côté de moi, juste derrière, et il m'envoie un petit coup dans le dos en disant : "Pas de ça, gamin." Et il continue à marcher. Ça me fout tellement les boules que je remets les trucs, je les vide dans les bacs à vêtements, et au moment où je veux sortir, surprise, deux gars de la sécurité me chopent et me fouillent. Mais j'ai rien sur moi. Je quitte le magasin, et le grand mec est là. Debout à côté de sa

Cadillac El Dorado, en train de fumer. Il m'avait observé tout le temps. Et il m'a dit que les gars de la sécurité aussi. C'était Wilson, ça, d'accord ? Lui, c'était, disons, le pro. Et moi, l'amateur. J'ai navigué avec lui pendant presque huit ans. On a eu du bon temps. Il m'a appris plein de choses. »

Il est allé nous chercher deux bières de plus.

« Mais, comme j'ai dit. Ils l'ont eu en Alabama – Will, Willie. » Il a secoué la tête, puis, la penchant en arrière, a vidé sa bière dans sa bouche. Je discernais clairement l'orphelin en lui. Le manque.

J'ai posé ma bouteille et je me suis penché en avant. « Écoute, gamin. Tu me fais l'effet d'être bon pour la fauche. Mais tu t'es trompé. Il y a déjà un moment que je fais plus rien d'illégal.

— Allez, *man* !

— C'est vrai. Il faut que je m'occupe de ces filles, maintenant, et on est juste venus pour un peu de soleil et de vagues. Et puis on s'en ira. Ce que tu racontes m'intéresse pas. »

La consternation a éteint son regard, et il est resté un peu bouche bée. « Tu me fais marcher. »

J'ai secoué la tête, je me suis levé, j'ai terminé ma bière et posé la bouteille sur la table près de ses livres. « Mais je te souhaite plein de chance. Et garde les yeux ouverts ! »

Je m'étais retourné vers la porte quand il a dit : « Tu pourrais t'occuper vachement mieux des filles avec ce fric-là. T'as pas besoin de quinze briques, *man* ? »

J'ai regardé par-dessus mon épaule et j'ai répondu : « Pas là où je vais. » Je l'ai remercié pour la bière et j'ai quitté la chambre.

172

Le vent dans les arbres produisait un son léger. Derrière, il y avait un grand silence parsemé de petits bruits semblables à des cliquètements de verroterie. J'ai regardé, le long des murs, les portes de métal rouge sous la lumière qui continuait à vibrer ; puis le ruban jaune sur la numéro 2, la moto du jeune, deux voitures. Le grand air me donnait une sensation d'enfermement.

DEUX OU TROIS JOURS PLUS TARD, un journal m'a finalement persuadé de laisser tomber les filles. Rocky était allée en ville à la recherche d'un travail. Le troisième jour d'affilée. Je ne l'avais accompagnée que jusqu'au bus parce que je voulais qu'elle s'habitue à se déplacer toute seule en ville. Nancy était allée à la supérette où elle avait loué deux dessins animés pour Tiffany. Puis elle s'était rendue dans la chambre des filles pour demander à la petite si elle avait envie de regarder *Cendrillon* sur le magnétoscope de son bureau. Les deux vieilles sœurs l'attendaient, et j'ai regardé Tiffany sautiller derrière elles quand elles se dirigeaient vers le parking. Elles avaient passé beaucoup de temps avec la gamine. Tiffany semblait s'animer auprès de ces femmes âgées qui étaient absolument ravies de sa présence.

J'étais assis sur le parking à prendre le soleil. Je m'habituais à inonder ma poitrine de ses rayons comme s'ils pouvaient en brûler l'intérieur et le nettoyer. Je sirotais du Johnnie Walker dans un gobelet en carton tout en lisant attentivement le *Houston Chronicle* et le *Times-Picayune*. Pas un mot sur l'enquête

174

fédérale concernant les ports. Rien sur Stan Ptitko ou sur la maison de Jefferson Heights.

Je m'étais mis à boire plus de JW que d'habitude. Je n'attendais même plus qu'il soit midi. Une gorgée à la bouteille lançait la matinée. Je ne pouvais plus faire autrement pour me mettre l'esprit en route. Et ça m'aidait à rester assis sans bouger pendant que je prenais le soleil.

Dans le *Chronicle*, à la fin de la rubrique des faits divers, j'ai trouvé, tout en bas à droite :

Reclus tué par balle chez lui
Sa femme et ses filles ont disparu

Le corps de Gary Benoit, d'Orange, Texas, a été trouvé dans sa maison, près de Big Lake Road, par deux jeunes garçons de la commune. Selon le coroner, M. Benoit aurait reçu une balle dans le ventre, et un animal semblerait être arrivé le premier sur la scène du drame. Les policiers ont confirmé que plusieurs jours se sont écoulés avant qu'on ne découvre le corps, parce que le défunt n'avait pas de voisins et n'occupait pas d'emploi. Le bureau du shérif n'a pas donné d'autre information, mais on recherche la femme de M. Benoit, Charmane, pour lui poser des questions. La police voudrait également des informations sur l'endroit où se trouveraient Tiffany, la fille en bas âge de M. Benoit, ainsi que Raquel, sa belle-fille âgée de dix-huit ans.

J'ai senti mon cœur chuter en moi comme une pierre. Les larmes de Rocky se paraient d'un tout nouveau contexte. Je me suis rappelé la distance qui se lisait sur son visage quand, assise dans ma chambre, elle avait parlé de sa vie. Je me suis souvenu de son horreur, de sa façon de bégayer, de ses yeux écarquillés et de ses cils qui battaient. La folie des uns est pire que celle des autres.

C'est pourquoi on se fixe des règles ; c'est pourquoi on reste mobile, prêt à lever le camp. J'ai roulé les journaux en boule et je les ai balancés dans la poubelle – un baril de pétrole dans un renfoncement entre deux murs. Le tout petit lambeau de bon sens qui me restait encore me criait de mettre les bouts, de tirer un trait sur cette situation.

C'est ce que j'ai fait.

J'ai jeté mes vêtements dans mon sac marin, pris le coffret et mon JW. J'ai bien surveillé le motel de ma fenêtre, et quand j'ai vu que tout était dégagé, j'ai embarqué mes affaires dans le pick-up, et je suis sorti du parking en prenant bien soin de ne pas regarder dans le rétroviseur avant que l'Emerald Shores n'en ait disparu.

J'avais le sang qui battait comme si je m'évadais de prison, et, en plus, une déception insensée me nouait les tripes. Quelque chose en Rocky avait mis mon imagination en feu et, je devais l'admettre, avait placé une sorte d'espoir idiot au mauvais endroit. Ça me guérirait.

C'était terminé.

Je me suis dit que ça n'avait plus d'importance. Désormais, il n'y avait plus que moi et le Texas. Moi et le cancer.

Quelques pâtés de maisons plus loin, je me suis arrêté dans une ruelle. J'ai nettoyé le pistolet et le silencieux dont elle s'était servi, puis je les ai cassés et j'ai jeté les morceaux dans divers conteneurs à poubelles.

Une fois arrivé sur l'autoroute, je suis parti vers le nord sur la 45 en faisant comme si je ne savais pas pourquoi.

J'ÉTAIS DÉJÀ BIEN BOURRÉ quand je suis arrivé à la hauteur de la petite ville de Teague. Le décalage entre mes pensées et mes actes s'était tellement réduit que je me suis mis à composer le numéro de téléphone avant de pouvoir m'en empêcher. Je n'étais pas allé à Dallas depuis des années, mais peu de temps auparavant j'avais payé un détective que je connaissais pour qu'il découvre où Loraine habitait. Cette info, je l'avais conservée dans mon coffret. Je ne sais pas pourquoi je l'avais fait, en réalité. Mais dès que je me suis trouvé à Dallas, j'ai cherché un annuaire de téléphone qui m'a confirmé l'adresse. Au nom de son mari. À cette époque, tout le monde figurait dans l'annuaire.

« Je passais juste par ici, en fait. Je me suis dit que j'allais appeler... Je suis tombé sur quelqu'un – Clyde, à Beaumont. C'est lui qui m'a dit que t'habitais là. Que t'étais mariée – c'est super. Je passais par là. Et tu es dans l'annuaire. Ouais, surprise !... Non, je fais plus ça – je fais surtout de la soudure. Dans deux syndicats. Je suis à Galveston, sur une plate-forme. Je remontais. Je me suis rappelé que t'étais dans ce coin. J'avais un peu de temps à tuer. Écoute, qu'est-ce que tu dirais d'aller

178

déjeuner ?... Non, non – c'est juste pour dire bonjour...
Non. Je fais plus ça. »

Un quartier dans le district de Brentwood, des gens
du pétrole et des célébrités de seconde zone, des chefs
d'entreprise, des politiciens à moitié retraités, leurs
femmes qui jouent au tennis. Un ancien champion de
boxe poids lourd habitait quelque part dans le coin.
Des manoirs aux murs crénelés s'élevaient au-dessus de
massifs d'arbustes sculptés avec précision et de clôtures
en fer forgé, au bout de longs tapis d'herbe verte brillante et rase très loin de la route, entre des fontaines
de granit et des allées de garage pavées de pierre,
sinueuses, dont chacune portait un nom de rue. Des
voitures de gardes privés patrouillaient dans les rues
sous des voûtes de chênes verts qui mouchetaient la
chaussée de taches de lumière.

Les véhicules de patrouille étaient noirs, avec des
sirènes bleues sur le toit, et ils ralentissaient quand mon
pick-up passait.

J'ai trouvé l'adresse et je me suis garé sous un chêne
aux branches tombantes. Dans un des jardins, des
gosses couraient entre des arroseurs automatiques. On
se disait qu'ils auraient dû être à l'école. Je portais mon
chapeau de cow-boy en paille et des lunettes de soleil,
mais même avec cette protection j'étais tellement ébloui
par l'air que je devais cligner des yeux.

Sa maison était une petite montagne de briques
rouges et de bardeaux blancs, avec des colonnes qui
encadraient l'entrée. Le garage, à droite, était plus grand
que les maisons de Metairie où j'avais vécu. Ma

bouteille de JW était vide, et je n'arrivais pas tout à fait à reprendre haleine.

Je me suis demandé si j'aurais pu vivre là. Est-ce que j'aurais su quoi faire de moi ?

Je l'ai vue passer derrière une vitre de la cuisine, et ma gorge s'est contractée.

De près, les briques de la maison prenaient une teinte qui virait presque au rose. La peinture des volets avait été grattée minutieusement pour donner une impression d'ancienneté. Le lierre qui grimpait sur les murs était taillé avec autant de soin qu'une barbe de professeur. Mes bottes ont cliqueté et dérapé sur l'allée de petits cailloux qui contournait une vasque pour oiseaux si vaste qu'elle aurait pu accueillir deux personnes.

Une porte lourde, teintée dans la masse, dotée d'un heurtoir en forme de tête d'aigle. J'ai frappé du poing. J'ai jamais utilisé de heurtoir.

Du courage liquide, de la logique à l'alcool. J'avais un jour entendu dire que les marsouins peuvent se suicider, mais je ne sais pas pourquoi ça m'est venu à l'esprit.

Un bruit de talons sur du carrelage. Des serrures qui jouent, un grincement de porte. Loraine avait revêtu un visage conciliant, un masque dont le raffinement m'a donné un instant l'impression d'être quelqu'un d'assez grossier, presque un sous-homme.

J'ai ôté mes lunettes de soleil. Des petits tressaillements sous mes yeux pendant que je voyais le visage de Loraine se défaire et retomber.

« Euh, a-t-elle dit, je me demandais bien... »

Elle n'avait pas pris de poids, mais la peau sur son cou était un peu ridée par le soleil. Et ses cheveux, teints de la couleur des érables en octobre, présentaient des nuances diverses. Un pantalon sombre lui serrait les hanches, et un chemisier blanc lui tombait le long du corps comme de la crème. Un rang de perles et une grosse bague, en plus de son alliance et d'un diamant. Elle faisait glisser les perles entre ses doigts tout en me dévisageant.

« Tu as l'air complètement différent, m'a-t-elle dit.

— Salut, Loraine. Loraine. Salut. »

Son regard s'est abaissé sur mes lèvres, puis sur mon ventre, et il est remonté à mes yeux. Ses joues s'étaient un peu affaissées, me semblait-il. Elle avait de petites rides autour de la bouche, et j'ai souhaité que les femmes ne cèdent pas à leur envie d'avoir les cheveux courts dès qu'elles atteignent trente-cinq ans.

« Roy. Bon. Oh ! là ! là ! » Elle a jeté un coup d'œil derrière elle comme si quelqu'un d'autre se trouvait là. « Je t'ai dit que j'étais occupée.

— Je voulais juste te parler une seconde. Je partirai quand tu voudras.

— Je t'ai dit que j'étais occupée.

— Je resterai debout ici.

— Bon. Qu'est-ce que tu veux ?

— Parler, j'ai murmuré. Faire le point. » J'ai haussé les épaules comme si c'était une question.

Elle m'a examiné en donnant à sa bouche une expression entre l'amusement et l'agacement, et la sensation de sa chair m'est revenue dans toute sa réalité, la chaleur sous mes doigts, le goûts de ses humeurs, sa taille qui se rétrécissait avant de s'élargir à son cul, la rougeur, telle une carte des vaisseaux sanguins, que prenait sa peau quand elle était à bout de forces. Ses ongles de pied dans la baignoire. Elle avait un visage large qui se terminait par un menton en pointe, et ce visage, je l'ai revu tourné vers le plafond, traversé par un grand sourire ou par un rire qui lui coupait le souffle. Ces visions me hantaient, je les avais au bout des nerfs comme le retour soudain d'une vieille blessure ou d'une maladie qui vous rend sensible aux coups de froid.

Elle a bien vérifié la cour, les fenêtres du voisin, et j'ai eu l'impression de sentir sa nuque – une odeur nette, une odeur d'agrume.

Je pouvais voir qu'elle essayait de trouver la meilleure façon de se débarrasser de moi. Mais j'avais quelques choses à lui dire. J'étais assez soûl et j'avais des choses à dire.

Elle est partie d'un rire sombre. « Bon Dieu. Entre, alors. Je veux pas que tu restes sur le perron, idiot. » Ouvrant la porte, elle a poussé un soupir. « Rien qu'une minute. »

À l'intérieur, un long couloir s'étendait sous un haut plafond, et le parquet était si luisant que je pouvais me voir tout entier en lui comme dans de l'eau. Des touches rouges et dorées en jaillissaient. J'ai suivi Loraine, et une tension interne a commencé à lâcher tandis que mes yeux s'imprégnaient de la forme de son cul, et que mon estomac se décontractait parce que je me rappelais l'avoir prise par-derrière en gardant le pouce dans ce petit trou, comme elle l'aimait. Mais ça dépassait le souvenir cérébral. C'était comme si mon corps se souvenait lui aussi, retrouvait la sensation de son étreinte glissante, et j'avais presque son goût dans ma bouche. J'ai porté mon pouce à mon nez, m'attendant quasiment à y sentir l'odeur.

Un miroir au cadre doré était accroché au-dessus d'un meuble en beau bois, et de petites tables étaient disposées ici et là avec des vases contenant des fleurs écarlates. Le couloir donnait dans une salle de séjour au plafond voûté d'où pendait un lustre. Sur la gauche, un escalier montait en colimaçon. D'épais canapés aux couleurs de sable et de terre, deux fauteuils en cuir chocolat. Ces objets me gênaient. Quand elle s'est retournée, c'est l'expression sur son visage qui m'a gêné.

Je me suis senti bête parce que je venais de remarquer les lames de lumière douces et blanches qui tombaient par de hautes fenêtres ouvrant sur une piscine et un jardin luxueux aux meubles d'extérieur en fer, et j'ai compris vers quoi elle avait toujours été en marche. Et que, dans ce plan-là, je n'avais eu qu'une minuscule place.

« Faut croire que t'as changé d'avis au sujet du mariage.

— Eh bien, si l'on rencontre l'homme qu'il faut. » Son sourire avait quelque chose de mordant, et, debout à l'entrée du séjour, elle croisait les bras. « À vrai dire, je ne comprends pas vraiment ce que tu fais ici. »

J'ai contemplé ses chaussures. « Je passais juste par là. J'ai… Je veux dire, j'étais juste curieux de savoir comment tu allais.

— Comment j'allais ? Depuis, combien, onze ans ? » Elle s'est assise dans un des fauteuils en cuir, elle a croisé les jambes, et elle a de nouveau joué avec les perles entre ses doigts. Elle penchait la tête ; il y avait là quelque chose de drôle, pour elle.

« Oui, justement. Comment se sont passées les onze dernières années ?

— Voyons. De façon absolument superbe. Voilà.

— Tu as belle mine.

— Quand est-ce que tu t'es coupé tous tes cheveux ?

— Assez récemment.

— Tu sais, tu n'es pas aussi beau que je le pensais.

— En fait, on me le dit souvent.

— Tu as terriblement vieilli.

— Attends que ça t'arrive aussi.

— Tu es soûl ?

— Hmm. Non. » Une vague de chaleur a fait rougir mon visage. Loraine ne me croyait pas. J'ai commencé à penser que je lui parlerais peut-être de mes poumons, que je recueillerais un peu de compassion. Je pourrais alors exprimer ce que j'avais voulu dire en venant ici.

« Roy, tu ne peux vraiment pas rester. Je suis vraiment occupée. »

Mes doigts ont effleuré le plateau en marbre d'une table basse. Un côté sauvage, en moi, a pensé à posséder Loraine là, tout de suite, sur le divan. Demander d'abord, certes. Mais de toute façon.

Et j'ai dit : « Je reste pas. Je m'en vais.

— Eh bien...

— Est-ce que tu... » Je me suis figé, j'ai pris une sculpture de clowns en porcelaine et je l'ai reposée. « Est-ce que tu te souviens de la fois où nous sommes allés passer une semaine à Galveston ? En 73, je crois. »

Elle a roulé des yeux où pointaient la fatigue et un peu d'ennui. Je me suis rappelé le visage de Nancy quand Lance avait essayé de l'entraîner sur la voie des souvenirs.

« J'y repensais. Sur la plage. On avait passé une bonne semaine. Tu m'avais parlé de ta sœur et de ton père.

— Oh, bon sang. Tu deviens sentimental, Roy. Tu es un de ces bonshommes mûrs pleins de nostalgie, maintenant. » Elle a secoué la tête avec un air de commisération. « J'aurais préféré que tu restes dans le genre fort et taciturne. J'aurais préféré me souvenir de toi comme ça.

— J'y repensais, c'est tout.

— Bon. Et tu croyais que j'allais dire quoi ? »

J'ai haussé les épaules. J'entendais le tic-tac d'une horloge comtoise dans un angle – un bruit calme dans cette pièce si haute de plafond. Quelques photos trônaient sur un meuble abritant le système audio-vidéo. Le mari de Loraine avait le visage épais et le cheveu rare, l'air amical de quelqu'un qui se laisse dorloter, genre fox-terrier.

« Tu as des gosses ? »

Elle a recommencé à triturer ses perles. « De quoi est-ce que tu es nostalgique, d'ailleurs ? Ça ne s'est pas bien terminé, Roy.

— Rien ne se termine bien. » Mais j'avais envie de répondre à sa question en lui rappelant l'aube qui envahissait nos fenêtres quand nous étions à Galveston ; la lumière d'un blanc bleuté tombait sur elle quand elle était dans le lit et dormait nue sur le ventre, les draps par terre, et que les odeurs de crevette et de sel portées par la brise fraîche du golfe entraient par la fenêtre. J'avais envie de lui rappeler la morsure aiguë et douce des mojitos dont nous avions vécu toute la semaine – lui dire à quel point ça me semblait important. À quel point toutes ces choses prenaient maintenant pour moi une réalité intense – j'en avais presque l'odeur et le goût dans la bouche, et je pouvais quasiment sentir sous mes doigts le relief de ses vertèbres.

Mais je n'allais pas le faire. Je savais que ce qu'il y avait de bête, de pitoyable, c'était que je n'avais pas réussi à engranger de meilleurs souvenirs.

185

Je me suis rapproché pour examiner les photos à côté du grand téléviseur. Loraine et son mari posaient sur une montagne blanche, en combinaison de ski, tout sourire. Et puis ils trinquaient ensemble sur une plage où tout était bien plus bleu et plus éclatant qu'au bord du golfe.

« Est-ce qu'il a entendu parler de moi ?

— Pas beaucoup. Mais oui. Il sait tout sur moi, Roy.

— Je pensais à un jour où on avait bu des mojitos et on était soûls avant midi. On avait bâfré de la chair de crabe et on arrivait pas à se débarrasser de l'odeur. On se moquait de nous-mêmes, on était couverts de jus de crabe. Bourrés. On prenait des douches.

— Ça va, le Texan. Un peu de calme, là.

— Et puis il a plu, et les deux jours suivants on est restés tout le temps à l'intérieur. À regarder la télé par câble. Et cette baise insatiable.

— Oui, oui. Mon cul, c'est de la dynamite. Merci, Roy. »

Je me suis assis sur l'autre fauteuil, en face d'elle. Le cuir crissait dès que je bougeais d'un centimètre.

« Je ne peux pas rester là toute la journée », a-t-elle dit.

Je n'arrivais pas à ordonner ce que je voulais dire. « C'est juste que. Je m'en vais. À l'étranger. Et ça m'a donné à réfléchir. À penser qu'à une certaine époque… ou plutôt que j'ai raté quelque chose, juste maintenant. Parce que je savais pas. » J'avais à présent tout à fait conscience – et c'était douloureux – d'être considérablement soûl. Le visage de Loraine s'était allongé pour exprimer une sorte de pitié chagrinée qui me donnait la sensation d'être tout petit. « Je voulais me ressouvenir de certaines choses.

186

— De quoi ? D'être défoncé ? De la fois où tu as démoli un pauvre cow-boy qui m'avait dit salut ? Du jour où j'ai tellement bu que j'ai vomi du sang ? Voilà de quoi tu me parles. Voilà de quoi je me souviens.

— On a eu du bon... Je crois qu'on a eu du bon temps.

— Oh ! Oh, Roy... » Elle a porté la main à sa bouche et elle a fermement secoué la tête. « J'ai été contente quand tu es allé en prison, Roy. »

J'ai dit : « Ma vie est terminée. »

Elle s'est mise à regarder autour d'elle comme si elle avait honte pour moi.

« Je t'ai parlé de Port Arthur. Des Blacks au lycée. Je t'ai dit ce qu'il en était de moi. »

Elle a poussé un soupir d'exaspération. « Comment m'as-tu dit, déjà, que tu m'avais retrouvée ?

— Par Clyde. À Beaumont. Il m'a dit que t'étais ici.

— Comment le savait-il ? »

J'ai haussé les épaules.

« Bon sang. Tous mes péchés me reviennent », a-t-elle dit.

Le tic-tac de l'horloge m'a fait penser à une femme en talons hauts en train d'avancer sur un sol de marbre avec lenteur mais de manière implacable.

« Je dois aller à une réunion, Roy. De la Junior League [1].

— Et la nuit qu'on a passée sur les dunes, sans dormir.

— Oh, arrête. Vraiment.

---

1. Association de jeunes femmes américaines, en général de droite, qui s'occupent surtout d'œuvres caritatives. (*N.d.T.*)

— Qu'est-ce qu'on a ri ! Je me souviens plus pourquoi. Tu te souviens de ce qu'il y avait de si drôle ?

— Ressaisis-toi, cow-boy. Sérieusement. Essaye de trouver un peu de dignité.

— Pendant un temps, j'allais faire de la soudure. Tu t'en souviens ? J'allais quitter le club, ces mecs. Je me rappelle que je le voulais. Mais toi, tu voulais pas. Tu aimais bien que je fasse ce que je faisais.

— Et alors ? J'étais une gamine.

— Toute cette baise.

— Me soûle pas.

— Eh. C'était toi qui...

— Le passé, Roy, n'est pas réel. »

Je me suis arrêté, coinçant sur ce qu'elle venait de dire.

« Écoute-moi, a-t-elle répété. Le passé n'est pas réel. »

C'était comme si elle m'avait frappé au cœur avec un pic.

Elle a dit : « On se souvient de ce qu'on veut. Je me souviens que tu es rentré à la maison avec plein de sang sur ta chemise. Et que tu m'as demandé de cacher un flingue. Tu t'abstenais de boire pendant une semaine et tu commençais à dire que tu voulais changer. Et puis tu étais de nouveau soûl pendant trois semaines d'affilée. Tu te débrouillais pour que je ne puisse pas être avec toi sans être bourrée à mort. Et les trucs que tu me racontais... Tu me tapais aussi un peu dessus. Tu t'en souviens ? Tu ne te souviens pas un petit peu de nos bagarres ? Tu étais jaloux de tout, Roy. Plein de ressentiment. Tu en voulais aux autres d'être heureux. Je me rappelle que je me disais : *Je n'ai jamais rencontré d'homme aussi apeuré que lui.* Et puis quoi, finalement ?

188

J'ai rencontré des types pires. Pourtant j'ai été assez soulagée. Quand tu es allé en taule.

— Alors, est-ce qu'il y a quelque chose que tu as aimé en moi ? »

Elle a tapoté son menton avec son ongle. « En fait, je ne m'en souviens pas. Sans doute une forme de pouvoir. Mais, a-t-elle soupiré, le genre de pouvoir qui ne mène pas loin.

— Des histoires comme ça, il n'y en a pas eu beaucoup. Pour moi. »

Elle s'est à moitié couvert la tête avec sa main. « Je ne sais pas ce que tu as fait de tout ça dans ton crâne. J'étais une gamine idiote. C'est tout. J'ai fait des erreurs. Un dur. Oh, ça, c'était excitant ! J'étais idiote. Une gamine. J'aime mon mari. C'est quelqu'un de bien. J'aime la vie que j'ai avec lui. »

Elle avait pris un air renfrogné où l'amusement avait cédé la place à un certain désarroi, et sa beauté en était toute rigidifiée. Puis elle s'est tournée vers la fenêtre, et la lumière du jour a redonné une forme plus douce à son visage. Je percevais les sensations qui m'avaient échappé quand je fuyais. J'ai tenté de les fixer en nous revoyant assis sur le lit, tout nus, les jambes croisées, en train de jouer aux cartes. Mais ça n'a pas marché, et j'ai cherché un moyen de lui parler du temps qui passe, du fait que le mouvement nous embrouille et nous use, empêche les choses de demeurer.

Je lui ai demandé : « Il fait quoi ? Ton mari.

— Ça suffit. Maintenant, je veux que tu sortes de ma maison. »

Je me suis levé et j'ai marché vers elle.

Elle a levé les yeux avec une expression de profond ennui et de fatigue, et elle a brandi une sorte de télécommande qui aurait pu servir à ouvrir une porte de garage. « Tu vois ça, Roy ? Ça envoie un signal d'alarme à ces gardes de chez Halliburton qui sillonnent les rues. »

Je me suis fait tout petit. « Doucement. Je venais juste te dire au revoir.

— C'est ça, oui. »

Elle m'a suivi jusqu'à la porte en restant plusieurs pas derrière moi. J'ai ouvert et je suis sorti, frappé de plein fouet par la lumière. Sur le perron, je me suis retourné vers elle.

« Je suis en train de mourir.

— Ce n'est pas notre lot à tous ? »

La porte s'est refermée avec un bruit sourd.

Dans mon pick-up, j'ai été pris d'une toux qui ne passait pas. J'ai eu des haut-le-cœur en mettant le moteur en marche, et j'ai laissé tomber un mince filet de bile sur le siège. J'ai dépassé deux voitures de sécurité en rejoignant l'autoroute. Je savais que le passé n'était pas réel. Il n'était plus qu'une idée ; et cette chose que j'avais voulu toucher et effleurer, cette sensation que je n'arrivais pas à nommer, n'existait tout simplement pas. Elle aussi n'était qu'une idée.

Je suppose qu'il faut être très prudent dans la façon dont on se sert de ses souvenirs.

Le problème, c'était qu'une fois que je m'étais avoué cela, tout ce qui m'était un jour arrivé me paraissait toujours aussi important, et même plus qu'avant. C'est le genre de chose qu'on a achetée au prix de sa vie.

Je me suis arrêté sur le bas-côté avant l'échangeur en trèfle de l'autoroute. Au-dessus de moi, les voies en

190

béton dessinaient des boucles et des nœuds ; et les voitures passaient, assourdissantes, fouettées par le vent, dans un bruit blanc densifié par les gaz d'échappement huileux et les vapeurs d'essence.

Je me suis demandé si je n'allais pas louer une chambre où je me noierais dans le whisky. Je pouvais boire et fumer à perpétuité dans une chambre de motel.

Il y avait dans la brise un goût de fer qui m'a rappelé Matilda, la vieille Noire qui nous faisait la cuisine au foyer. Matilda était comme une araignée : marron foncé, le visage semblable à une noix, elle se pliait pour bouger. Elle aimait rester debout en plein soleil et ne trahissait rien de ce qu'elle pensait. Elle prisait du tabac qu'elle faisait sécher et qu'elle parfumait au schnaps, elle préparait du boudin avec des seaux de sang noir que les chasseurs lui donnaient par charité – des hommes accompagnés de leurs fils, portant des seaux dont ils avaient vidé le gibier tué. Et quand je les regardais, ces hommes, je pensais aux garçons qui partaient avec leur père dans l'obscurité du petit matin, je pensais aux perles de rosée sur l'herbe et à ces fils collés au dos de leur père dans une traque silencieuse. Nous mangions beaucoup de boudin dont le goût, semblable à de la limaille de fer mélangée à de la farine de maïs, me restait pesamment dans la bouche ; et c'était ce goût qui m'était revenu quand, à la sortie du bureau de recrutement, j'avais pris le car pour Beaumont. Je l'avais encore dans la bouche le jour où j'avais trouvé la boîte Chez Robicheaux dans le Bayou et que j'avais demandé Harper Robicheaux.

Ma langue a parcouru les contours de ma bouche tandis que je regardais les voitures entrer sur l'autoroute. Le goût de gibier réveillait de lourdes sensations,

celle du soleil sur ma peau, celle d'une verte luxu-
riance aux innombrables épaisseurs, celle du chant des
insectes qui faisait partie du silence ; celle du silence
même des champs de coton, des ronces qui nous écor-
chaient les mains, des longues journées que nous
passions à cueillir le coton, courbés, aveuglés par une
sueur sale.

Puis le rire de Tiffany a retenti dans ma tête – ces cris
qu'elle poussait quand je la jetais dans les vagues. Et
Rocky dont le visage, dans sa détresse, ressemblait à une
tente mal fixée aux prises avec des bourrasques.

Une libellule n'arrêtait pas de tourner autour de ma
tête comme si elle avait quelque chose à me dire, et
j'avais l'impression, dans l'air de cette nuit chaude, de
respirer des cendres. Au loin, j'entendais les voitures
passer – *ouoush-ouoush-ouoush* –, et c'était comme le
battement de cœur d'un animal immense qui m'aurait
avalé.

AMARILLO N'ÉTAIT QUE STATIONS-SERVICE, entrepôts et boîtes de strip-tease bas de gamme coincés entre des motels. Des vents violents. On pouvait rouler tant qu'on voulait, il n'y aurait toujours rien d'autre que des champs, des châteaux d'eau, et des pompes « tête de cheval » qui montent et descendent comme dans un jeu de bascule. J'ai regardé des putes travailler dans les toilettes et des camionneurs affronter la bruine, passer de la laverie automatique à la station-service où les gros semi-remorques étaient alignés sous des lampes à halogène. Une femme aux cheveux coiffés tout en hauteur est descendue d'un camion pour monter dans celui d'à côté. La fille dans ma chambre a pris un air contrit, penaud, pendant que je restais debout devant la fenêtre. Elle était sur le lit et je pouvais la voir sur le verre de la vitre.

« Qu'est-ce qui va pas, m'sieur ? Dis-moi quoi faire. Dis-moi ce que tu veux. »

Son visage pâle et ses cheveux d'un noir d'encre flottaient sur la vitre. J'étais tout nu, près des rideaux, à observer le parking. Je sirotais du JW.

Comme je ne répondais pas, elle a dit : « T'es pété, mon mignon, c'est tout. »

Je n'avais pas prévu cette rencontre, mais la nuit m'avait trouvé à Amarillo après une journée où j'avais roulé dans la mauvaise direction. Et il y avait eu cet avant-poste aux lumières vives, ce relais pour routiers qui ressemblait à un petit village avec sa laverie automatique et son bar côte à côte, tandis qu'en face du parking géant s'étalaient les chambres simples d'un motel.

J'avais commencé par entrer dans le bar, mais le clinquant qui entourait la vitrine à bouteilles était trop tape-à-l'œil, et la serveuse aux yeux bridés était sortie de l'ombre comme une lotte émergeant de l'endroit le plus sombre de l'océan. La télé grésillait et les voix ressemblaient à des journaux qu'on n'arrêterait jamais de froisser. La mâchoire du barman pendouillait, et quand il s'est tourné vers moi pour me regarder, une lueur bleue, mauvaise, est passée sur son visage apparemment dénué de toute pensée. Personne ne buvait au comptoir.

Je suis ressorti sous une bruine qui tombait avec constance. Des hommes portant des casquettes de taille réglable étaient entraînés d'un côté et de l'autre par la lourde masse de leur bedaine. En dépassant la laverie, j'ai aperçu la fille. Elle était jeune – difficile de dire son âge –, mais elle m'observait derrière la vitre. Debout contre un lave-linge, les bras croisés et le cou tendu, elle me regardait dans cette posture de mante religieuse tandis que la pluie coulait sur la vitre. J'ai eu la sensation d'un grand tribunal qui me désignait du doigt.

La partie arrière de la station-service abritait un café où l'on vendait des beignets et qui disposait de plusieurs tables et box. C'était là que s'étaient réunis quelques hommes – des individus de grande taille en forme de pomme de pin, vêtus de salopettes en jean, de pantalons tombant très bas sur une taille informe, sans cul. Des lunettes de soleil sport en pleine nuit. Ils m'ont regardé quand je suis entré. Personne ne riait – ils parlaient doucement, sérieusement, et faisaient de petits mouvements avec leur cigarette pour appuyer leurs affirmations. Quelques-uns d'entre eux s'en tenaient à leur café et leur cigarette, mais d'autres faisaient circuler une pinte de bourbon. Ceux qui ne prenaient pas de bourbon plongeaient sans cesse leurs pattes dans une boîte de beignets.

Pendant un moment, je suis juste resté debout dans l'une des travées, avec, à ma gauche, un présentoir plein de frites et de viande séchée et, à ma droite, des rangées de médicaments dans des paquets à usage unique. L'éclairage cru faisait penser à un clair de lune, mais en plus brillant. J'ai remarqué que dans la salle les hommes continuaient à me regarder. La femme derrière le comptoir m'était hostile. C'est alors que la fille est apparue dehors, de l'autre côté de la vitre, et son regard brûlant est arrivé jusqu'à moi à travers l'eau qui coulait. Elle n'allait pas me laisser partir. Elle me demanderait de l'argent. Ça marche comme ça. Il suffit que vos regards se croisent.

Mais j'ai levé les yeux vers les hommes dans la salle et vers la grosse femme du comptoir qui me lorgnait d'un air mauvais, et j'ai senti l'air lourd et humide du bar me retomber dessus. Quand je suis sorti, la fille m'attendait. Je suis resté un instant à sa hauteur et nous nous sommes dévisagés.

« Tu veux t'acheter quelque chose ? » a-t-elle dit.

Je lui ai demandé si elle avait une chambre, et elle a répondu non.

« Tu travailles pour quelqu'un ? »

Elle a fait non de la tête et elle a serré un peu plus les bras contre son corps. Son cou s'est tendu vers la pluie qui se calmait.

« Moi toute seule. Qu'est-ce que t'en dis ? »

Une fugueuse. Elle n'allait pas faire ça longtemps, entre les maquereaux, les fous et les flics. J'ai sorti ma flasque, bu une gorgée, et je la lui ai passée. Nous avons regardé les hommes qui se déplaçaient autour des pompes et les femmes qui, parfois, descendaient d'un semi-remorque garé. Il leur arrive souvent de fuguer sans comprendre où elles atterrissent. Alors elles foncent de nouveau à la maison, si elles le peuvent. Mais c'est trop tard.

Je l'ai de nouveau regardée et je me suis demandé pourquoi son cou s'inclinait de cette façon. Elle avait un visage anguleux, et des yeux à la fois trop grands et un peu trop rapprochés qui lui donnaient l'air d'un insecte. Sa peau translucide évoquait la malnutrition. Mais elle avait des épaules fortes et un beau corps dans une jupe en jean et des collants rouges, un haut noir, un grand sac mou qui lui collait à la hanche comme un bébé. Elle a dégagé de son front quelques mèches de cheveux mouillés, complètement noirs, et elle a dit : « Allons-y. »

J'ai répondu : « D'accord. Suis-moi. »

Et puis, finalement, je ne la voulais pas du tout. J'avais juste eu envie de ne pas rester seul. J'ai essayé de discuter, de parler de choses et d'autres. Mais elle était trop pute, elle n'avait même pas envie de bavarder et n'arrêtait pas de s'en prendre à mon pantalon. En plus, elle était plus jeune que je ne l'avais cru. Au bout d'un moment, quand j'ai fini par être en colère et qu'elle s'est sentie humiliée, je suis retourné à ma boisson et suis resté debout, tout nu, à côté de la fenêtre. La pluie avait repris.

« Dis-moi ce que tu veux, a-t-elle répété.

— Tu travailles ici depuis quand ? » Je ne savais pas trop d'où sortait cette question. Je ne l'aurais pas posée, une semaine plus tôt.

Je l'ai vue s'étirer sur le lit, et, sur la vitre, sa blancheur ressemblait à de la fumée. « Deux jours. Hier, je dormais debout.

— Les filles d'ici sont dangereuses. Elles vont t'amocher. Ou alors leur mec le fera. »

Elle a replié les couvertures sur son corps. « Je vais pas rester ici. Je me tire à l'ouest. »

Le reflet de mon visage émergeant de la nuit s'est mélangé au sien et s'est superposé aux objets qui se trouvaient de l'autre côté de la fenêtre.

« Il se peut que tu rencontres la même chose à l'ouest.

— Je marche pas à la charité, a-t-elle dit. Je gagne mon fric. Reviens ici et dis-moi ce que tu veux. »

Comme je n'ai ni bougé ni répondu, elle s'est retournée et s'est recroquevillée en resserrant les couvertures contre elle. Rien, chez elle, ne me rappelait Loraine ou Carmen ; ce n'était qu'une gamine effrayée de voir où sa fuite l'avait menée. La pluie qui tambourinait délicatement sur le toit et qui pleurait le long de la fenêtre me rendait méchant, et je savais que cette fille n'y arriverait jamais. Je pouvais voir sa vie se débobiner. Je me suis habillé, et au moment où j'allais mettre le pied dehors, la fille m'a lancé sèchement, sans se retourner : « Paye-moi, c'est tout. »

J'ai posé quelques billets sur le climatiseur, puis j'ai regagné mon pick-up. J'ai démarré en lui laissant la chambre si elle la voulait.

Tu nais, et quarante ans plus tard tu sors d'un bar en boitillant, étonné par toutes tes douleurs. Personne ne te connaît. Tu roules sur des routes sans lumière et tu t'inventes une destination parce que ce qui compte, c'est le mouvement. Et tu te diriges ainsi vers la dernière chose qu'il te reste à perdre, sans aucune idée de ce que tu vas en faire.

QUATRE

AVEC DES MOUVEMENTS DE SERPENTS À SONNETTE, des bandes de sable traversent la rue en se tortillant. Sage est immobile, en alerte, pendant que nous attendons que les voitures passent. Nous prenons ensuite un raccourci par le parking d'un centre d'accueil et franchissons la rue Pabst pour arriver au Knight's Arms. C'est là que Cecil loue des chambres à la semaine, et une des consolations de ceux qui y viennent, c'est de savoir qu'ils ne vont pas rester longtemps.

Ça fait cinq ans que je vis ici, dans un studio où un petit canapé se déplie pour former un lit double. Ma télé est morte il y a deux mois, et des livres s'entassent presque tout le long du mur, empilés sur le flanc comme des briques. C'est comme ça que j'ai appris à ranger les livres en prison, pour me passer d'étagères.

Je pose le sac dans l'évier et je donne à manger à Sage. Quand elle a fini, elle se couche en rond sur son coussin près du canapé. Je pense encore à l'homme à la Jaguar, et je me demande s'il est seul ou s'il a fait venir des amis avec lui. Je mets le climatiseur un peu plus fort, j'éteins les lumières, et dès neuf heures trente je suis dans le bureau de la direction.

201

Cecil est en train de parcourir la rubrique « Vie » de *USA Today*. Il vit au bureau depuis son divorce, mais maintenant que son ex-femme a déménagé à Austin, sa maison est libre. Sauf qu'à présent il a dans l'idée de la louer et de continuer à habiter au bureau jusqu'à ce qu'il rencontre une autre femme. C'est cette maison que je suis censé aller peindre aujourd'hui.

Il a une bonne vingtaine d'années de moins que moi, et, sous le dos de son col, je vois surgir par moments le bord d'un tatouage noir. Il a gagné un peu d'argent dans l'État de Washington vers la fin des années 1990, et il a déménagé ici avec sa petite amie en raison du climat. L'amie est devenue sa femme, puis elle l'a quitté pour un D.J. d'Austin. Maintenant, il prétend qu'ils auraient dû aller en Floride.

Quand il m'a engagé malgré mon casier judiciaire, il m'a dit : « La vérité, c'est que je ne croyais pas trouver un gars qui parlerait anglais. » Il voulait un homme qui accepte de vivre sur place. Le poste comprend donc le studio, même si, Cecil habitant maintenant ici, il n'a plus autant besoin de moi. Il m'autorise aussi à garder Sage alors que le règlement du motel n'admet pas les animaux de compagnie. Je le considère donc comme un type bien.

Après avoir mâchouillé sa joue creuse, il me dit : « T'as vu ce qui se passe, avec l'ouragan ?

— Comme tous les mois de septembre. On peut pas savoir ce qu'ils vont faire.

— Faut croire. On parle d'état d'urgence, à présent. Peut-être une évacuation obligatoire d'ici un jour ou deux.

— Juste au moment où tout le monde partira, l'ouragan se transformera en petite rafale au-dessus de Padre Island.

— Ça me fout quand même les boules. Depuis La Nouvelle-Orléans.

— Écoute, dis-je en m'appuyant sur le comptoir. Ce mot que tu as mis sur ma porte.

— Ouais. Le mec t'a trouvé ?

— Non. Dis-moi à quoi il ressemble.

— Il a un air officiel. Mec en costard, du genre professionnel. Bourru. Il a demandé si tu étais dans le coin. Il m'a dit ton nom. Il a demandé si Roy Cady travaillait ici. »

Le métal que j'ai dans le crâne palpite, et toutes mes pensées de ce matin s'assemblent en un bruit de sirène qui retentit de plus en plus dans ma tête. « J'étais au Seahorse. Je suis parti de bonne heure.

— C'est à peu près ce que je pensais. Mais j'ai rien dit. Je savais pas. Le type voulait pas non plus laisser de message. Ça m'a pas plu. »

Il fait glisser vers moi les clés de sa maison. « Il y a un trou dans le mur du couloir. Si ça te va, tu pourrais le boucher », dit-il. Ses cheveux châtains ne sont plus assez épais pour qu'il continue à les porter comme ça, hérissés, et il a des poches sous les yeux qui le vieillissent. « Toute la peinture est dans le camion. J'ai aussi apporté de l'enduit, si tu veux bien t'occuper du trou. Je t'en serais reconnaissant.

— Pas de problème.

— Je me suis posé des questions sur ce mec, dit-il en repliant son journal. Il y a quelque chose de pas net, chez lui. C'est peut-être quelqu'un chargé de récupérer

203

du fric ? Les avocats font travailler des gens comme ça. En tout cas, je ne lui ai pas dit où tu pouvais être.

— Je ne dois d'argent à personne.

— Eh, ça c'est bien. » Il allume le poste de télévision derrière le comptoir.

Pourtant, je dois des choses à des gens.

Je demande : « À quoi est-ce qu'il ressemblait ?

— Comme je t'ai dit. Un mec plutôt lourd. Les cheveux lissés en arrière. L'air d'un dur. Tu veux que je lui dise quelque chose, s'il revient ?

— Il a dit qu'il allait revenir ?

— Quand je lui ai demandé s'il voulait laisser un message, il a juste dit qu'il réessaierait. Ça m'a pas plu. Son attitude en général.

— Ne lui dis rien. »

Il regarde la météo à la télévision en grattant son menton mou. Je prends les clés et fais demi-tour pour m'en aller, mais je m'arrête.

« Dis-lui que je suis pas ici. Même si j'y suis. Avertis-moi s'il repasse. Essaye d'avoir son nom.

— C'est quelqu'un que tu connais ?

— J'ai aucune idée de qui ça peut être.

— Très bien. N'oublie pas le trou dans le couloir, d'accord ? »

Je le laisse et me rends dans l'appentis où l'on range les outils. Là, je prends deux grandes bâches, des rouleaux et des auges que je porte jusqu'au pick-up de Cecil. Il me le prête pour que j'aille peindre sa maison. Je pense aux gens qui viennent collecter les dettes et à ceux qui recherchent les disparus. Je m'imagine l'homme à la Jaguar en train de parler dans son télé-phone portable et de dire à ses patrons qu'il m'a retrouvé. Je me demande encore s'ils vont envoyer quelqu'un d'autre.

Avant de partir, je fais fonctionner le tuyau d'arrosage dans la cour. Il se termine par une poignée en forme de pistolet, et la voir dans ma main m'envoie un frisson de honte et de peur tout le long du dos.

Mes deux mains tremblent.

Je me faufile derrière l'appentis pour fumer la moitié d'un joint en espérant qu'il me calmera et ne fera pas monter ma paranoïa. Au bout du compte, c'est les deux : il me rend certain de mon horizon – il sera douloureux et humiliant –, mais il me donne aussi une sorte de point de vue zen sur l'inévitabilité de la souffrance.

Je devrais acheter un flingue.

À l'étage, je fouille dans mon placard jusqu'à ce que je trouve le couteau de chasse Remington que j'ai gagné aux cartes il y a quelques années – une lame de dix-huit centimètres avec un manche crénelé. Je fais courir mon pouce sur le tranchant. Comme il est un peu émoussé, je sors de son étui la pierre à aiguiser et j'affûte la lame jusqu'à ce qu'elle fasse venir le sang sur mon pouce sans que j'aie pratiquement à appuyer. Je glisse le couteau dans une des poches de ma salopette, je regarde dans le parking s'il n'y a pas de Jaguar, puis je descends.

Je conduis le pick-up de Cecil hors de Spanish Grant et je dépasse les plages en direction de Point San Luis tout à l'ouest. Je passe devant la crique Lafitte et je m'imagine l'affreux courage de cette époque, les feux sur la plage. Et, bien sûr, je me souviens de Rocky.

Il se pourrait qu'au cours des cinq dernières années je ne sois jamais allé aussi loin au volant d'un véhicule. À part quelques rares soirées à Finest Donuts ou

au Seahorse – des moments où j'ai besoin de compagnie pour m'abstenir d'acheter la bouteille finale –, je
reste à l'intérieur. Même pendant les évacuations que
j'ai connues ici pour cause d'ouragan, je suis resté chez
moi à regarder les tempêtes fouetter l'air à coups de
feuilles et de gerbes de pluie. Je réprime mon envie
d'aller avec le pick-up de Cecil jusqu'au Montana ou au
Wyoming, voire jusqu'en Alaska.

C'est à ce moment-là, je suppose, que je m'avoue que
je ne vais pas m'enfuir.

La maison de Cecil est un pavillon construit sur des
fondations surélevées. Elle a été peinte en beige terne,
et le jardin est recouvert d'herbes folles. Vu l'état de
mes mains et ma jambe mal foutue, il me faut quelques
minutes pour porter tout le matériel à l'intérieur. La
maison est vide et les rideaux ont été enlevés, ce qui fait
que la lumière se déverse par les fenêtres en énormes
lames d'un blanc crayeux.

J'étends les bâches et je déplie les journaux, puis je
masque les lambris du séjour. Ces pièces me donnent
une sensation étrange, maintenant qu'elles sont vides
et inondées de cette lumière poudreuse. Une lumière
si blanche et si nue. De toute évidence, cette maison
est trop grande pour une seule personne. Des familles
ont évolué dans cet espace. J'y déambule, et mon pied
gauche fait un bruit de sable qui crisse en raclant le
plancher. Je traverse tous ces réticules dessinés par le
soleil. Je pense à des choses que j'ai lues au sujet de
tel ou tel grand peintre. Comment la qualité de la
lumière change tout – non seulement ce qu'on voit,
mais comment on se sent par rapport à ce qu'on voit.

J'ai lu que certaines victimes d'accidents vasculaires cérébraux voient une lumière blanche féroce, une lumière qui provient de l'intérieur de leur cerveau.

C'est ainsi que je décrirais la luminosité de ces pièces vides.

Heure après heure, je les attends. Chaque fois que claque une portière de voiture, j'empoigne le couteau dans ma salopette, puis, ma journée de travail finie, je fais le tour du Knight's Arms pour voir si je repère la Jaguar noire. C'est ensuite seulement que je décharge le matériel de peinture, que je rends ses clés à Cecil et que je grimpe à mon appartement.

Comme toujours, je dois livrer un petit combat pour ôter ma salopette parce que mon genou gauche n'aime pas se plier. Je fume la seconde moitié de mon joint quotidien, puis je passe un blouson coupe-vent et je vais promener Sage sur la plage.

Je m'arrête au milieu de l'escalier et je retourne chercher le couteau de chasse.

Il n'y a que quelques personnes sur le sable, ce qui n'est pas étonnant avec ces ciels. Deux ou trois d'entre elles me jettent un coup d'œil puis se détournent. Je lance la girafe de Sage dans les vagues : elle bondit pour la récupérer. Quelques gamins se mettent à rire et la suivent quand elle remonte la plage à toute allure jusqu'à mes pieds. Les enfants cessent de courir quand ils me voient. Le soleil est derrière nous, à présent, et l'air n'est plus brûlant. Les trois gosses observent depuis le bas d'une dune ; ils regardent Sage, et moi de temps en temps. Je suppose qu'ils sont en train de décider si Sage vaut la peine de me parler.

Le plus petit, un garçon aux cheveux blond paille, crie : « Comment il s'appelle, votre chien ?

— Sage.

— Il mord ?

— C'est une chienne. Parfois elle mord. Parfois pas. »

Il regarde ses amis et se met à gravir la dune. Les deux autres, un garçon et une fille, tous les deux plus grands et plus âgés, le suivent avec prudence. Les gens commencent à quitter la plage : ils rangent leurs affaires dans des sacs et vident les moules avec lesquels leurs enfants ont construit des châteaux de sable. Les trois gosses s'accroupissent autour de Sage, qui virevolte de l'un à l'autre tandis qu'ils essaient de la caresser tous les trois en même temps. Je les regarde rire et je saisis le couteau dans ma poche ; je serre le manche pour qu'il ne glisse pas hors de mon blouson. Le petit blond me demande : « Qu'est-ce qui est arrivé à votre œil ?

— Sutton, dit la fille. C'est pas poli ! »

J'esquisse un sourire dans sa direction en pensant à un autre enfant. « Ça ne fait rien, dis-je. C'était un accident. Il y a longtemps.

— C'est ça qui est arrivé à votre visage ?

— Sutton ! » La fille s'élance pour attraper Sage, la prendre dans ses bras, mais la chienne se tortille et s'échappe de sous son corps.

« Oui, c'était le même accident.

— Ça vous a fait mal ? » demande le garçon.

Je lui réponds : « Je ne m'en souviens pas. »

JE FAIS DEUX TOURS COMPLETS du Knight's Arms en commençant à une distance de deux pâtés de maisons pour m'en rapprocher par cercles concentriques. J'examine la rue et les parkings afin de repérer la Jaguar ou des hommes qui seraient dans une voiture de luxe et porteraient des lunettes de soleil, pour savoir si quelqu'un surveille l'endroit. Les murs de l'hôtel sont recouverts de stuc beige, et les planchers du bas reposent sur un soubassement en briques. Rentré dans mon studio, je dénoue le sac en toile que j'avais mis dans l'évier, puis je verse les crabes de ce matin dans de l'eau bouillante. L'air emprisonné dans leurs carapaces crie comme de minuscules voix humaines.

Quand ils sont cuits, j'éteins la cuisinière, mais je n'ai pas faim. Je mange de moins en moins, ces temps-ci. C'est comme si je n'en avais pas besoin.

Je roule un autre joint et je prends un roman sur des alpinistes. Il y a eu une époque où ça marchait, où la lecture pouvait m'ôter le fardeau du temps.

L'habitude de lire que j'ai prise au cours des vingt dernières années ne m'a pas rendu différent. Ç'a été simplement la meilleure manière que j'ai trouvée de passer le temps puisque je ne pouvais pas boire.

Mais ce soir ça ne marche pas. Ce soir, le livre m'incite à me souvenir au lieu de m'en empêcher. Je me souviens de la sensation que me donnait le dos de Rocky quand nous avons dansé dans une boîte pour cow-boys d'Angleton, et aussi des lumières sur la piste. Je termine mon joint et je jette un des crabes dans le bol de Sage. J'entends le vent chaud qui souffle très fort dehors et l'océan qui gronde.

Je pense à l'homme à la Jaguar et, de tout mon cœur, je souhaite le pire. Je mets mon blouson et je glisse le couteau de chasse dans ma botte.

Les habitués du Seahorse sont pour la plupart des gens qui ont des métiers ordinaires et sont syndiqués. Mais on y trouve aussi quelques vieux marins – de ceux qui remontaient les filets, ou des pêcheurs de crevettes à la peau rougie par le sel – et leurs femmes qui se serrent autour de tables faites à partir de tambours pour câbles. Il y a des filets qui pendent à des poutres, un crâne d'alligator muni de lunettes de soleil et une orphie de taille monstrueuse qui s'étale sur environ trois mètres le long du mur du fond. Les clients laissent tomber des cacahouètes ou des têtes de langoustine pour le labrador blond qui surgit de sous les tables-tambours pour tourner autour des tabourets quand quelqu'un commande. Ça sent le piment, ici, le poisson et la bière, mais aussi la sciure et un peu trop le parfum. Les lampes du Seahorse sont placées derrière des hublots taillés en forme de prisme qui dispersent la lumière en fragments colorés venant se poser au-dessus des objets. Mes copains de Finest Donuts ne viennent pas ici, de peur d'être tentés ; mais comme je ne suis qu'à une rue de distance, je prends parfois plaisir à me défoncer, et puis à venir m'installer au bout du comptoir avec un verre de lait et mes Camel. Tous les clients, ici, sont pauvres et mentent.

« Écrémé ou entier ? me demande Sara.

— Entier. Tu sais bien. »

Elle me fait une grimace comme si je me prenais pour quelqu'un. Elle travaille six soirs par semaine à trimbaler ses bras épais entre le frigo et le bar, à pincer la bouche devant les histoires des clients, à s'en prendre aux vieux qui passent la journée à boire.

Les visages, le long du comptoir, se fondent dans l'ombre ou prennent un air bizarrement poignant quand ils se lèvent vers la lumière bleu pâle du téléviseur posé derrière le bar. On y montre une carte météorologique informatisée où tournoie, juste au-delà de la côte du Texas, dans le golfe du Mexique, un brillant tourbillon écarlate et pourpre. On dirait l'empreinte du pouce de Dieu. Il serait descendu poser Son doigt ici. Tout le monde en parle.

« Ça pourrait faire mal.

— Il arrivera pas jusqu'ici.

— Ça risque.

— Jamais de la vie. J'ai cent dollars. Tu veux parier cent ?

— Va te faire voir. Cent ! Viens pas me dire ça. »

Pourtant, la tempête est plus proche qu'on ne veut bien l'admettre. Cet ouragan-là a été baptisé Ike. Les vis dans mes os me chatouillent, et, assez vite, la pression derrière mes yeux devient trop forte. Je me prépare à partir.

Je marque une pause près de la porte. Je l'aperçois entre les barreaux de la fenêtre.

211

Une Jaguar noire aux vitres sombres est garée entre une camionnette Ford et un petit véhicule japonais, face au bistro. Un homme en costume en descend. Il est grand, et je me dis que cette fois il ne va pas attendre que je sorte.

Je repars donc péniblement en sens inverse, et je longe le couloir où se trouvent les toilettes pour prendre la sortie de derrière. Je continue vers l'est pendant deux pâtés de maisons, puis je décris un cercle pour revenir vers mon point de départ, et je me place derrière une vieille cabine téléphonique d'où je surveille la voiture garée devant le Seahorse. Une camionnette entre dans le parking, et ses phares, quand ils balayent la Jaguar, me révèlent qu'elle est vide.

Je m'accroupis, je fais glisser le couteau hors de ma botte et je le cache sous le devant de mon blouson.

Je m'apprête à faire demi-tour pour rejoindre le Knight's Arms par un chemin détourné. Je pourrais remplir un sac à la hâte, empoigner Sage, et puis nous nous précipiterions dans un car en direction de Carson City, d'Eureka Springs, de Billings. Mais, en regardant la voiture, je sens que ça ne se fera pas. Je sens l'irritation monter : une indignation qui m'insupporte.

Eh bien, que ça tombe. Que ça éclate au grand jour. D'un seul coup, je me sens euphorique à l'idée d'une mort rapide reçue lors d'une ultime confrontation. Et je me dirige vers la voiture.

Je m'approche de la Jaguar par l'arrière et j'arrive tout doucement jusqu'au coffre. J'ai les nerfs tout excités, le cœur qui bat à cent à l'heure, et je m'accroupis près de la portière arrière, côté conducteur. J'essaye la poignée et, comme elle cède, j'ouvre vite et je me jette à l'intérieur. Je regarde tout autour pour découvrir quelque indice, mais la voiture est propre, à part une odeur écœurante d'eau de Cologne. Je m'allonge donc et j'attends. Il ne se passe pas longtemps avant que l'homme ne sorte du bar et ne balaye le parking du regard. Il revient s'asseoir dans son véhicule, et au moment où il introduit la clé de contact je pousse la pointe de mon couteau contre sa nuque.

« Bordel...

— Tourne-toi. Pose tes mains sur le volant. »

Il le fait, entourant le volant de ses grosses pattes où deux bagues en or lui décorent les phalanges. Ses cheveux, à l'arrière de sa tête, sont coupés en une ligne droite bien nette. C'est un gros gabarit, et l'odeur fétide de son eau de Cologne, trop suave, remplit l'habitacle. Je grogne : « Vous, les ritals, avec vos produits de beauté. »

La voiture est bien entretenue, éclairée seulement par la lueur verte du tableau de bord. Elle a de belles lignes, un cuir lisse et la radio diffuse un match-exhibition. Je me penche vers la tête massive du conducteur et je l'examine dans cette faible lumière. Un visage carré, plein, dont l'expression hargneuse dénote une arrogance naturelle. Ce n'est pas quelqu'un que je reconnais.

Je lui dis : « Tu cherches quelqu'un. Te retourne pas.

— Roy Cady ?

— Ta gueule ! » Je pousse le couteau contre son cou et il lâche un petit cri. « J'ai un message pour toi. Dis-leur de venir me chercher.

— Attendez une seconde.

— Ta gueule ! » Il tressaille et une goutte de sang perle sous le bout du couteau. « Ne parle pas. Tout ce que t'as à faire, toi le collecteur de dettes, c'est de prendre un message. Dis-leur de venir me chercher. Je suis ici, et je réduirai leur putain de vie en cendres. » Je ne crois pas qu'il puisse entendre le chevrotement dans ma voix, et je serre le manche du couteau pour m'empêcher de trembler.

« Dis-leur que je les attends. Dis-leur de mettre leur cirque en route.

— Attendez… »

Je ne veux pas l'écouter et je pousse tellement le couteau qu'il se tait. Je suffoque, dans cette caisse de riche et son nuage d'eau de Cologne. « Dis-leur ce que je t'ai dit. » De l'autre main, j'actionne la poignée de la portière. « Si je te revois, je te ferai passer les dents à l'arrière de la tête et je dirai que c'était de la légitime défense. »

Je saute hors de la voiture et pars dans l'ombre en clopinant aussi vite que je le peux. L'homme dans la Jaguar me crie quelque chose, mais ce qu'il peut dire se perd dans le vent. J'ai mal aux côtes tellement mon cœur a cogné, et le métal logé dans l'orbite de mon œil provoque des élancements. Je reste dans l'ombre et je suis de petites allées, traversant rapidement les endroits éclairés. Quand je parviens au Knight's Arms, la Jaguar n'y est pas encore arrivée.

C'est en frissonnant que je gravis l'escalier et que je claque la porte derrière moi. Des carapaces de crabe éclatées parsèment le sol de la kitchenette. Ça sent les docks. Je largue mon blouson et je me laisse tomber sur le canapé sans allumer la lumière. De son panier, Sage lève les yeux vers moi et gémit. Elle doit croire que je suis en colère à cause du désordre, mais je la rassure en lui grattant l'oreille.

Il n'y a que la lumière au-dessus du four, dans la kitchenette, et je reste assis sur mon canapé à contempler le visage gris et mort du téléviseur et la muraille de livres entassés. Mon pouce repasse sans arrêt sur la tranche du couteau qui, chaque fois, coupe un peu plus profond. Je n'ai pas entendu ce que l'homme m'a crié.

Je sors mon appareil dentaire et je le mets à flotter dans un verre rempli de bain de bouche à la menthe. Je le regarde un instant : il me fait l'effet de l'intrusion d'un fantôme.

Tout raide, je m'assois sur le canapé et je racle négligemment le fond de ma mâchoire avec le couteau.

Je surveille la porte. Ils l'enfonceront à coups de pied quand ils arriveront. Mon pouce saigne.

CINQ

JE SUIS RETOURNÉ SUR L'ÎLE UN JEUDI, midi à peine passé, trois jours après en être parti. On avait enlevé le ruban de police devant le numéro 2, et le chariot d'une femme de ménage stationnait dans le passage entre les chambres. Le break avait disparu, mais la moto du gamin était toujours debout devant sa chambre. Quelques mouettes se pavanaient dans le parking avec une attitude hautaine – une sorte de droit à se trouver là – qui m'a fait penser au clergé.

Personne n'a répondu quand j'ai frappé à la porte de Rocky et de Tiffany.

J'avais au ventre une sensation de lourdeur, de nausée, qui me donnait chaud dans le dos et faisait défiler mes pensées à toute vitesse. J'ai traversé le parking et, quand j'ai ouvert la porte du bureau, j'ai entendu une sorte de chant – des trilles. Dans la pièce d'à côté, les animaux d'un dessin animé chantaient à la télévision tout en cousant une robe, et des petits oiseaux virevoltaient autour d'une princesse en portant des rubans. Nonie, Dehra et Nancy étaient là. Assise par terre, Tiffany mangeait un bol de céréales et riait.

Les femmes ont toutes levé les yeux vers moi.

« Bonjour, a fait Nancy sans aucune chaleur.

— Hello », a dit Dehra tandis que sa sœur hochait la tête.

Elles ne se sont pas retournées vers le téléviseur mais ont continué à m'observer. Tiffany, quand elle m'a vu, m'a fait bonjour de la main et s'est replongée dans le dessin animé. Elle semblait avoir des vêtements neufs, une combinaison d'un blanc brillant.

« Ça fait à peu près dix fois qu'on voit ce film », a dit Dehra. Les deux sœurs ont eu un petit rire, mais il m'a paru artificiel et m'a donné le sentiment d'une ambiance où quelque chose n'allait pas. Je suppose que je n'avais pas non plus fière allure, avec mes yeux rouges et mon teint terreux.

J'ai demandé à Nancy : « Où est Rocky ? »

Les sœurs ont pivoté vers la télé. Les yeux de Nancy se sont rétrécis, me fixant comme des meurtrières.

« Elle a dit qu'elle allait travailler. On l'a pas beaucoup vue, ces deux derniers jours. Je pensais que vous étiez au courant. »

Je me suis retenu au comptoir et j'ai secoué la tête. « J'étais allé voir de vieux amis. Elle a trouvé du travail ? »

Nancy m'a tourné le dos, prenant son temps pour répondre. « Je crois qu'il y avait des doutes sur votre retour.

— Bien sûr, que j'allais revenir. J'ai payé et j'ai des jours qui me restent. Comment va la petite ?

— Un ange, a dit Dehra.

— Elle est adorable, a renchéri Nancy. C'est un trésor. Elle mérite mieux que ça.

— Je suis d'accord », j'ai dit.

220

Nancy s'est retenue d'ajouter quelque chose, et nous avons tous les deux regardé Tiffany s'essuyer la bouche, se lever d'un air somnolent, se glisser jusque sur les genoux de Nonie et se mettre à bâiller. Quittant le canapé, Nancy a fait le tour du comptoir. « Venez », m'a-t-elle dit d'une voix basse et sévère.

Je l'ai suivie dehors, sous l'ombre de l'abri à voitures. J'ai jeté un coup d'œil à la chambre de Tray ; ses rideaux étaient fermés derrière les panneaux de papier alu froissé.

La mâchoire de Nancy s'est contractée. Elle scrutait mon visage comme si je l'avais dévalisée. « Bon, alors, cette fille, qu'est-ce qu'elle trafique ? J'ai pas besoin de choses comme ça, ici. Vraiment pas. Je le tolérerai pas.

— Je ne vous suis pas.

— Elle a fait venir un homme dans sa chambre. Le soir où vous êtes parti. D'accord. On en fait pas une histoire. C'est ses affaires. » Elle a effleuré de ses ongles la face interne de son coude. « Mais hier, voilà que Lance vient me présenter ses excuses. Il me dit qu'elle lui a fait un tarif pas cher. Et il s'excuse, dit-il, parce qu'il m'aime et ne voulait pas, mais il est faible. Ce genre de connerie. » Ses lèvres étaient devenues une fente blême et ses yeux fouillaient durement les miens.

« Nancy, je suis absolument pas au courant de ça.

— Ah bon ? Et si vous l'êtes pas, alors, qui l'est ? J'arrive pas vraiment à comprendre le genre d'accord que vous avez avec cette fille. Franchement, j'ai pas envie de le savoir. Mais je sais qu'elle est pas votre nièce. Et la petite, là-dedans ? C'est quelqu'un de vraiment spécial. Elle mérite beaucoup mieux que ça, monsieur Robicheaux. »

Elle a fait un signe de tête en direction du bureau. « Cette petite a pas besoin de devenir comme l'autre.

— Qu'est-ce qui s'est passé ? Après votre conversation avec Lance ?

— C'est pas pour elle qu'on fait ça. Ni pour vous, d'ailleurs. Normalement, je la virerais. J'appellerais peut-être le shérif, en plus. Mais je l'ai pas fait. Et la raison pour laquelle je l'ai pas fait, c'est la petite.

— Mais qu'est-ce qui s'est passé ? Après ? »

Elle a tiré sur une de ses boucles d'oreilles. « Eh bien, je suis allée lui parler. Elle s'est mise en colère, elle a gueulé, elle est rentrée dans sa chambre comme si elle allait tout casser. Et puis elle est reparue en petite robe, les cheveux plutôt bien coiffés ; elle a fait sortir la petite, et elles sont parties frapper à la porte de Nonie et Dee. Elle leur a demandé de surveiller la petite parce qu'elle devait aller travailler. Elle avait un boulot. Je surveillais tout ça parce que je surveillais aussi Lance qui faisait ses valises.

— Où est-ce qu'elle travaille ?

— À ce qu'elle dit, dans un restaurant du Strand. Le Pirandello, un italien. Elle serait hôtesse d'accueil. Je l'ai aussi vue rôder autour de Jones, le type de la 8. Je les ai vus boire ensemble. C'est lui qui l'a emmenée à son travail. Vous savez, cette fille peut vraiment pas porter de talons – quelqu'un devrait lui dire de ne pas en mettre. Elle a essayé de m'écraser du regard en partant, mais c'est moi qui ai eu le regard le plus mauvais. En tout cas, elle y est allée. Et on l'a pas revue depuis. Nonie et Dee, vous comprenez, sont ravies de s'occuper de la gamine. Je crois que tout ce qu'elles souhaitent, c'est de pouvoir continuer. Mais après ce qui s'est passé

222

avec cette famille du numéro 2 ? Eh bien, ça me donne envie de m'occuper davantage de ce qui se passe ici.

— Merde. » J'avais du mal à trouver le moyen de la convaincre que je n'étais pas du genre à approuver des trucs pareils. J'avais la gorge sèche et les yeux douloureux.

« Merde, vous l'avez dit, monsieur Robicheaux. Bon. Vous savez que je pourrais appeler les services sociaux ? Je pourrais leur dire que la petite est abandonnée. Je pourrais dire que sa sœur, ou celle qui se dit telle, fait des passes, et ils l'enfermeraient. Je pourrais aussi dire que celui-là, le grand qui a l'air d'un dur et qui se soûle, c'est son mac.

— C'est faux.

— Qu'est-ce qui est faux ? Et qu'est-ce que j'en sais ? Je vous dis seulement que j'aurais pu le faire. Téléphoner. Vous savez pourquoi je l'ai pas fait.

— Ouais.

— Ouais. À cause de la petite, là-dedans.

— J'étais absolument pas au courant. Je le jure. »

Elle s'est étirée pour m'arriver au visage. « Et vous êtes qui ? »

J'ai pris une cigarette. Elle en a refusé une. J'ai allumé la mienne et je me suis appuyé contre le mur. La lumière éblouissante me donnait mal au crâne.

« C'est une fille que j'ai tirée d'une mauvaise passe. Pour dire vrai, on était tous les deux dans une mauvaise passe. Je la connaissais pas. Elle a voulu que je les emmène au Texas dans mon pick-up, elle et sa petite sœur. J'ai fini par m'incruster, d'une certaine façon, j'sais pas pourquoi. Je suppose que je voulais garder quelque temps un œil sur elles. J'sais pas.

— Pour ça, vous avez réussi !

— Écoutez. Même si vous trouvez que la petite passe un sale moment ici, je vous garantis que là d'où elle vient – sa situation là-bas –, c'était bien pire. J'ai vu la maison d'où elle vient.

— Hmm. Je veux bien le croire. » Elle a baissé les yeux vers mes bottes et elle s'est frotté les bras. « Elle sursaute dès qu'on bouge un peu vite autour d'elle. Vous avez remarqué ? C'est un paquet de nerfs.

— Ouais. Je l'ai remarqué quand on jouait sur la plage.

— Regardez-moi dans les yeux, monsieur Robicheaux. » Je l'ai fait. « Vous êtes le maquereau de cette fille, ou quoi ?

— Non. Non, m'dame, pas du tout. Absolument pas. J'ai juste essayé de l'aider un peu et c'est ce qui m'a amené ici.

— Hmm. » Elle me fixait d'un regard de glace qui me jugeait ; le naufrage ridé de son visage s'avançait vers moi pour m'accuser. Mon mal de tête avait recommencé à me lancer, et je me suis rappelé que je n'autorisais personne à me parler comme ça.

« Et que voulez-vous que je fasse, hein ? Et si je sautais dans mon pick-up et que je les abandonnais toutes les deux ici ? Ce qu'elles deviennent, c'est pas mon problème. Vous comprenez ? Merde. C'est moi qui vais téléphoner aux services sociaux à votre place. Oui, laissez-moi le faire. Ils emmèneront la petite. Ils lui trouveront une famille d'accueil. Et comme ça, j'aurai plus à m'emmerder avec ça. Et si je leur disais que j'ai pris en stop une cinglée qui m'a laissé sa petite sœur sur les bras ? »

Elle a croisé les bras, relevé le menton, mais n'a pas reculé d'un centimètre quand je me suis avancé vers elle.

« J'ai l'impression que vous n'auriez pas envie de parler de grand-chose à la police. J'ai entendu Rocky vous appeler "Roy", une fois. Je crois que votre nom est faux et que – *ça j'en suis sûre* – vous ne voudriez pas qu'on prenne vos empreintes digitales. »

J'ai jeté la cigarette que j'avais à la bouche, et une mouette a fait un petit saut pour éviter les étincelles qui ont jailli.

« Dans ce cas, je vais peut-être juste mettre les bouts. Vous pouvez envoyer Rocky en taule et la gosse dans une famille d'accueil. Tout ça a que dalle à voir avec moi.

— Vous pouvez partir, je suppose. Mais je me dis que vous l'auriez sans doute déjà fait. Si vous deviez le faire. Il se peut que vous ayez déjà essayé. Et que ça n'ait pas marché. »

J'ai jeté un regard circulaire sur le motel.

« Vous non plus, vous ne voulez pas la laisser, a dit Nancy. Vous l'aimez bien, Tiffany. »

Je me suis frotté les yeux et puis, ouvrant les mains : « D'accord. Arrêtons de nous balancer des conneries. »

Elle a eu un petit rire, pas entièrement de dépit. « On pourrait. Mais laissez-moi dire. Quelle que soit la suite, cette gamine aura besoin qu'on s'occupe d'elle. »

J'ai hoché la tête. Nous nous sommes appuyés contre le mur et nous avons regardé les oiseaux dans le parking. Le vent tiède chuchotait entre les bâtiments, et des traînées de sable balayaient le béton. L'air était tellement rempli d'océan que je pouvais sentir le goût des algues.

« Eh bien ? a-t-elle dit.

— Pouvez-vous surveiller Tiffany encore un petit moment ? Je vais voir où se trouve Rocky. D'accord ? »

Elle a réfléchi. « Combien de temps ?

— Pas longtemps. »

Je me suis dirigé vers le numéro 8, et, arrivé à la porte, je me suis retourné et j'ai vu que Nancy m'observait encore. Avant de frapper, j'ai attendu qu'elle soit rentrée.

Il a d'abord jeté un coup d'œil par le judas et il a tressailli quand il a entrouvert, ne laissant pénétrer qu'un mince rai de lumière. J'ai poussé, je suis entré et j'ai refermé. Il était torse nu, il avait le dos creusé, et ses bras maigres pendillaient comme des poids morts. Il faisait sombre à l'intérieur, et l'air était lourd de fumée de cigarette et d'odeurs corporelles – des odeurs de transpiration.

« Salut, cow-boy », a murmuré Tray avant de se laisser tomber sur son lit. Il a écarté les bras et regardé le plafond. Une pellicule de sueur lui couvrait le visage, et ses paupières bougeaient sans cesse. Il planait. Défoncé. Maigre comme le Christ.

« Tu sais où se trouve Rocky ? »

Il a articulé lentement. « Elle a dit… qu'elle allait au boulot.

— Qu'est-ce qui s'est passé entre elle et toi ?

— Passé ? » Il s'est assis et s'est frotté le visage. Je pouvais voir ses côtes et les stries de ses maigres muscles. « Rien du tout, *man*. On s'est vus comme ça. Bu quelques bières. Je l'ai emmenée à son taf.

— Tu l'as payée ?

— Quoi ? *Man*… » Il a secoué la tête et eu un petit rire. « Killer fait pas dans la poulette. Tu saisis ? »

226

Je me suis avancé et je l'ai coincé au bord du lit. « Où est-ce que tu l'as emmenée ? »

Il est resté la tête tournée vers le sol, les bras ballants entre ses jambes. « Hmm, jusqu'au Strand. Là, elle est descendue. »

Son sac-poubelle plein de fringues s'était renversé sur la moquette, et j'ai remarqué que les livres sur la table étaient ouverts. Les croquis étaient maintenant éparpillés dans toute la chambre.

J'ai failli m'en aller et puis je me suis arrêté. « Tu t'es ravitaillé où ?

— Quoi ?

— Tu t'es procuré la dope où ? T'avais pas l'air d'en prendre, avant...

— Oh, tu sais, il y en a pas loin, si t'en cherches.

— T'as reçu du fric ? »

Il a roulé des yeux paresseux vers moi et il a eu un grand sourire tout en haussant les épaules. « T'as réfléchi à notre discussion ?

— Non. Ça m'intéresse pas.

— Hmm. » Il a roulé un peu plus loin de façon à pouvoir se mettre debout. Fouillant dans le sac-poubelle, il en a retiré un tee-shirt qu'il a enfilé, puis il est allé jusqu'au lavabo et s'est aspergé le visage d'eau froide. Il a ensuite passé ses mains mouillées dans ses cheveux, se peignant avec ses doigts.

« J't'ai vu partir », a-t-il dit.

Je l'ai regardé mettre des tennis et chercher une cigarette entre ses papiers. Il l'a allumée et, après avoir mis de la lumière, il s'est assis, et il a fait sortir la fumée par son nez comme s'il avait tout le temps devant lui. Sa voix n'avait plus rien de planant, et son accent du Texas avait presque entièrement disparu. « Je t'ai vu bondir avec le journal dans tes mains. J'étais juste là. Derrière le judas. Je t'ai vu jeter le journal et tailler la route. »

J'ai senti ma poitrine s'alourdir, ce qu'il y avait à l'intérieur se durcir comme du béton.

« Je l'ai retrouvé dans la poubelle. Je me suis mis à le lire et j'ai compris, eh – les filles dans l'article avaient le même nom que celles d'ici. Alors, un plus un, tu vois. C'est assez simple. »

Mes dents ont grincé tellement je les serrais, et mes poings se sont noués. Il n'a pas eu l'air de le remarquer.

Il a levé une main. « C'est pas mes oignons, *man*. J'ai aucune envie de te baiser sous quelque forme que ce soit. Je le dis juste comme ça. Si on en venait là.

— Si on en venait où ? » j'ai demandé.

Il s'est penché en avant. Il a fait glisser le cendrier sur la table et nettoyé le bout rougeoyant de sa cigarette contre sa cannelure en plastique.

« Tu sais, en bossant ici sans partenaire, j'ai plus de risques de me faire choper. Par les flics ou par quelqu'un d'autre. Tu me suis ? Bon, alors, tu peux voir les choses comme ça. Imagine-moi avec des menottes, en train de transpirer sous la pression des flics. Je commence à paniquer, tu vois, je me sens malade, il faut que je sorte. Et les keufs, ces connards, ces forcenés, ils adorent ça. Un d'entre eux cherche à me faire plonger pour longtemps. Il veut anéantir mon avenir. Donc je suis désespéré, malade, et je panique. Il se peut – c'est pas exclu – que je flanche. Que je dise : "Écoutez, allez-y un peu plus mou, lâchez-moi la grappe, laissez tomber les chefs d'accusation et je vous donne un meurtre. Je peux vous parler de filles qu'on recherche." »

Mon poing m'a démangé, et la pression sanguine derrière mes yeux est montée d'un cran. Tray s'est mis à jouer avec un couteau papillon qu'il avait récupéré sous des papiers. Il l'a fait tournoyer d'un côté et de l'autre, puis, le dressant à la verticale dans sa main, en a fait surgir la petite lame. Pour signifier qu'il pouvait se défendre si on en venait là. Mais il s'est curé les dents avec le bout de la lame pour montrer qu'il prenait tout cela avec distance.

« Réfléchis, *man*. Comme je t'ai dit, je n'ai aucune envie de te baiser. Ce que je dis, c'est : gagnons du fric. Ça m'aidera, ça t'aidera. Il y a quinze mille pour toi au bout. Gagnons du fric. » J'entendais le vibrato qui perçait de temps à autre dans sa voix, qui la poussait un peu vers le haut, et il ne levait pas les yeux de la table. Il s'est mis à lacer ses chaussures en veillant à ne pas rencontrer mon regard. « Sinon, on prend des risques tous les deux. »

Je le regardais, et le pire de ma colère était passé parce que je le plaignais presque. Il n'avait pas été suffisamment instruit. Il ne me connaissait pas, et il ne comprenait pas ce qu'entraînait pour lui le fait de m'avoir raconté tout ça. Il a tapoté sa clope et réajusté son jean. Il s'est gratté le bras, s'est lissé les cheveux et enfin, à court d'endroits vers lesquels se tourner, il m'a fait face. Une de ses paupières avait des spasmes.

J'ai demandé : « C'est juste ça ? Si je fais ce truc avec toi, comment est-ce que je saurai que tu vas pas t'en servir contre moi ? Comment est-ce que je saurai que t'as pas l'intention de recommencer ? De me tenir en laisse ?

— Oh, *man*. C'est ce que j'essaye de t'expliquer. C'est pas le but. C'est pas mon truc. C'est un échange de services. Un contre un. On est quittes. »

J'ai remarqué une file de fourmis rouges à peine visible le long de la plinthe, et j'ai balayé des yeux les feuilles étalées sur la table, les petites cartes et les schémas de circuits électriques. Dans les griffonnages, il y avait beaucoup de pentagrammes, des esquisses de têtes de bouc et des couteaux papillons.

Il a dit : « Je suppose que t'es obligé de me faire confiance, *man*. Mais je joue franc-jeu. Je dis pas un truc pour en faire un autre. Regarde ça, *man*. Regarde ce que j'ai monté, et écoute ce que j'ai à dire. Regarde. »

Nous sommes restés assis un moment, et j'ai senti la chaleur s'éloigner du papier alu sur les fenêtres. Je devinais que le ciel s'était assombri dehors, comme si une couverture nuageuse s'était installée au-dessus de nous.

« Très bien, j'ai dit. Mais il va falloir que ça attende la nuit. Je dois m'occuper de trouver Rocky.

— Oui, d'accord. Comme tu veux. » Il a eu moins l'air d'un gosse quand il a souri – son visage s'est ridé, et ses petites dents mal foutues ont brillé comme une poignée de cailloux.

Je me suis levé. « Il vaudrait mieux que les gens d'ici nous voient pas traîner ensemble. Retrouve-moi au Circle K, au bout de la rue. À huit heures.

— T'es parano, mon frère. Personne ici en saura rien.

— Si tu veux que je vienne, on va commencer par être prudents. Tout de suite.

— D'accord, d'accord. *Man*, tu me fais penser à Wilson, quand t'es comme ça.

— Alors, fais ce que je te dis. »

Il m'a donné du oui-oui en imitant le salut militaire. Je suis sorti sans regarder derrière moi. J'ai constaté que

je ne m'étais pas trompé : des nuages gris en forme
de sillons s'étaient accumulés, et ils étaient très bas – un
ciel encombré pesait sur nous comme si nous étions
sous une montagne.

J'AI TROUVÉ LE RESTAURANT dans la 22e rue entre la rue Market et une voie du nom de Ship's Mechanic Row. Le restaurant Pirandello occupait le rez-de-chaussée d'une maison en grès brun, et une guirlande d'ampoules dans des buses de verre en forme de flammes encadrait l'entrée. Sur la porte de verre s'étalaient des mots en lettres cursives, et des rideaux bordeaux cachaient la moitié supérieure des fenêtres. Sur le trottoir, un peu plus loin, un homme criait contre un chien.

Une hôtesse m'a accueilli dès que je suis entré. Les employés portaient des chemises blanches, des jupes ou des pantalons noirs et des nœuds papillon noirs. Comme il était cinq heures, elle m'a dit que la cuisine venait à peine d'ouvrir et m'a demandé si je voulais une table. La section où l'on dînait était remplie à peu près au tiers par des femmes en chemisier qui arboraient des bijoux et des coiffures texanes volumineuses.

« Est-ce que Rocky travaille, en ce moment ?

— Qui ?

— Rocky. Ou Raquel ? Petite, avec des cheveux blonds et courts. Très blonds. »

232

Elle a réfléchi, fait une grimace, puis elle a baissé les yeux vers la liste des tables. « Je ne crois pas la connaître.

— Elle travaille pas ici ?

— Je ne suis là que depuis quelques semaines. Il y a peut-être des gens que je ne connais pas encore.

— Mais vous devez connaître les autres hôtesses ? Vous ne l'avez jamais vue ? Une fille toute menue, avec des cheveux un peu comme du duvet, très jolie. Petite.

— Vous savez quoi ? Il me semble avoir vu une fille comme ça au bar une ou deux fois. Je ne pensais pas qu'elle travaillait ici. » Elle a indiqué un endroit derrière elle, après la zone d'attente. Là, derrière un long et luxueux comptoir à l'extrémité de la salle à manger, officiait un homme en bras de chemise. Ses manches étaient maintenues au coude par une bande élastique comme on devait en porter au XIXᵉ siècle, ou qui sait quand.

Il paraissait avoir mon âge. Son teint hâlé avait la couleur de la boue du delta, et ses sourcils tout pâles se sont presque noyés dans les plis de sa peau quand il a levé le regard vers moi. Il hochait la tête, préparant avec des gestes précis des cocktails pour une serveuse. Dans tous les métiers, on peut généralement juger le professionnalisme de quelqu'un à la manière dont il se sert de ses mains – s'il le fait n'importe comment ou avec des mouvements nets et maîtrisés. Il m'a salué. J'ai commandé une Miller, puis je lui ai laissé un pourboire équivalent au prix de la consommation.

« Merci, a-t-il dit en acquiesçant de la tête. Vous devez rencontrer quelqu'un ?

— En fait, je cherche une fille. J'avais l'impression qu'elle travaillait ici. »

J'ai encore une fois décrit Rocky et je l'ai de nouveau appelée Raquel. « Vous voyez qui c'est ? Cheveux blonds aussi courts que ça, couleur citron. Visage net, joli. Elle m'a dit qu'elle bossait ici. »

Il a haussé les sourcils, et sa peau battue par le soleil s'est plissée en raies pâles sur le front. Il a caressé un bouc taillé avec soin. « Je crois savoir de qui vous parlez, *man*. Sauf qu'elle travaille pas ici. Elle est venue au bar deux fois, juste là. Elle a attendu que quelqu'un s'asseye avec elle. Elle est restée là, à fumer, jusqu'à ce que quelqu'un lui offre un verre.

— Sérieux ? »

Il a fait oui de la tête et il a paru légèrement amusé. « Si vous cherchez de la compagnie, je connais quelques filles. Je peux passer un coup de fil pour vous, si vous voulez.

— C'est elle que je cherche.

— Bon. Elle est venue ici deux fois, autant que je sache. La direction m'a demandé de lui dire quelque chose si elle revenait. Vous comprenez, cet endroit est plutôt classe. »

J'ai parcouru des yeux les murs peints à l'éponge et parsemés de bouts de feuilles d'or, les sculptures en papier mâché représentant le Colisée, la tour penchée.

« Évidemment, à chacun de s'occuper de ses affaires. Mais elle ferait mieux d'essayer un des bars d'hôtel. Ici, c'est pas l'endroit qu'il lui faut.

— Très bien. » Quittant mon tabouret, je lui ai donné cinq dollars de plus pour la conversation. Je n'avais aucun mal à me représenter Rocky quand elle était entrée ici la première fois. Peut-être n'avait-elle même pas rempli une demande d'emploi et s'était-elle assise toute seule au bar. Quelqu'un l'aborde, ou bien elle lui jette un regard, parce que ça, elle sait le faire, et quelques heures plus tard, la voilà de retour au motel ; elle a de l'argent et raconte à tout le monde qu'elle a trouvé du travail.

J'ai sillonné Harborside Drive, puis l'avenue Rosenberg et le boulevard Seawall. J'ai roulé très lentement le long de la plage, en passant devant des gens tassés sur du sable d'un gris noirâtre alors que le soleil embrasait les contours de chaque chose et transperçait mon pare-brise de ses épaisses ondes rouges. J'ouvrais l'œil pour repérer cette couleur de cheveux lumineuse. Un homme était étendu sur un banc d'arrêt de bus, les jambes repliées et un journal sur le visage. Des femmes en bikini entraient et sortaient du champ de lumière, un obèse brandissait un gros radiocassette qui beuglait du rock tex-mex.

Des jeunes accaparaient toute une portion de plage. J'ai trouvé déplaisants leurs corps minces et bronzés – sans doute considéraient-ils comme un dû ce temps de loisir, leur chance d'être là. Un frisbee a plané au-dessus de leurs têtes avec une lenteur impossible. On aurait dit que, pour certains, le monde restait toujours à midi. J'entendais leurs voix, leurs rires, et je les ai regardés se poursuivre les uns les autres comme de jeunes chiens. Je ne pouvais pas m'imaginer Rocky avec eux. Il y a beaucoup de choses qui ne deviennent jamais ce qu'elles devraient.

Avant de retourner au motel, je me suis arrêté dans une quincaillerie où j'ai acheté une boîte de sacs-poubelle ultrarenforcés et dix mètres de corde d'un demi-pouce de diamètre.

Je suis entré en coup de vent dans le bureau de l'Emerald Shores. Dehra et Nancy étaient assises à une table, occupées à un jeu de société avec Tiffany qui avait l'air toute propre et fraîche dans une petite robe de lin jaune. Tiffany a applaudi quand les dés sont tombés, puis elle a levé les yeux et m'a adressé un geste de la main.

Nancy a haussé des sourcils interrogatifs, mais je n'ai pu que faire non avec la tête. Elle s'est approchée de moi.

Je lui ai dit : « Vous aviez raison. Elle ne travaille pas là. Elle n'a jamais travaillé là. Je sais pas. J'ai circulé un moment, mais j'ai rien vu.

— Oh, Seigneur Dieu... Et maintenant, quoi ? a-t-elle demandé en mettant les mains sur ses hanches.

— Il leur reste encore combien de temps, dans cette chambre ? J'ai oublié combien j'ai payé.

— Il me semble que tout est bon pour vous tous jusqu'à après-demain.

— Je parie qu'elle rentrera juste à ce moment-là.

— Ah, vraiment ?

— Je parie qu'elle sait exactement quand la chambre ne sera plus disponible. Elle reviendra pour la petite. Si elle ne revient pas, je me mettrai à regarder dans d'autres motels.

— Vous supposez donc que tout va bien pour elle ? Qu'il ne lui est rien arrivé ?

— Elle n'est pas partie depuis assez longtemps pour que je pense à des ennuis. » Je ne m'autorisais pas encore à m'orienter dans cette direction.

Nancy a jeté un coup d'œil dans le bureau. Les derniers rayons du soleil étaient arrêtés par des bâtiments, ce qui transformait l'air en une sinistre brume rouge. À travers la vitre, nous pouvions voir Tiffany en train de s'amuser.

« Quel est son problème, alors ? Maintenant qu'elle a une petite comme celle-ci. Quel est son problème ?

— J'aurais du mal à le dire. Vous savez comment c'est. Il y a des gens, il leur arrive quelque chose. D'habitude quand ils sont jeunes. Et ils ne s'en remettent jamais.

— Mais d'autres s'en remettent.

— Sans doute. Mais on en voit davantage de la première catégorie. »

Elle a fait oui de la tête et tapé légèrement du pied en apercevant un grand gobelet de Big Gulp que quelqu'un avait laissé dans le parking. Il roulait d'un côté et de l'autre. J'ai penché la tête. « Écoutez. Cette petite fille. Si quelque chose se… Je sais pas. Vous toutes, vous vous en occuperiez, pas vrai ? »

Elle a rejeté sa tête en arrière comme si elle se sentait légèrement insultée. « Quoi ? »

Mon œil s'est soudain arrêté sur la moto de Tray. Sans que je m'en rende compte, la nuit était arrivée, et nous nous trouvions brusquement dans un soir bleuté qui s'assombrissait de plus en plus. « Quelle heure est-il ?

— Huit heures moins le quart. Qu'est-ce que vous étiez en train de dire ?

— Rien. Je dois aller retrouver quelqu'un.

— Et donc le bébé est de nouveau pour nous ?

— Je pourrais la prendre avec moi, je suppose. Mais je n'ai pas plus de droits sur elle que vous. » Je lui ai tendu quarante dollars. « Voilà. Pour dîner. Ou pour un divertissement. Si Rocky n'est pas rentrée demain, nous mettrons quelque chose sur pied. »

Elle n'a pas hésité à prendre les billets, les a pliés et les a glissés dans la poche poitrine de sa salopette en jean. « Vous savez, elle n'est pas toujours heureuse. La petite.

— Quoi ?

— Tiffany. Elle n'est pas toujours à sourire et à rire. Il lui arrive de se mettre en colère. En rage. Elle jette sa nourriture et elle pleure. Elle demande où est l'autre et elle se met en colère. Et si on fait des gestes trop brusques, ça la rend nerveuse. Je vous l'ai déjà dit. »

Je ne savais pas ce que je pouvais en dire. Je me suis contenté de hocher la tête.

KILLER TRAY RÔDAIT AUTOUR DU TÉLÉPHONE À PIÈCES de la supérette Circle K en rentrant les épaules comme s'il luttait contre un vent féroce. Apercevant mon pick-up, il m'a fait signe et il est arrivé au petit trot. J'avais jeté la corde et les sacs-poubelle sur le plateau à l'arrière.

Il a ouvert la portière.

« Très bien, j'ai dit.

— Tu veux voir l'endroit ?

— Allons-y », ai-je répondu avec un soupir. Il m'a indiqué la direction de Broadway en précisant qu'on n'était pas pressés.

« En gros, ils gardent tout dans une réserve. Il y a aussi un petit vestiaire où ils mettent des gilets de protection contre les rayons X et d'autres machins. Et derrière ce vestiaire, à l'intérieur, il y a une sorte de cage qui, avant, allait jusqu'au toit, je crois. Le panneau est fermé par un verrou, mais il y a un espace entre les planchers où on peut se glisser. La femme de ménage m'y introduira à l'heure de la fermeture. Je resterai peinard jusque vers une heure du matin, et puis je descendrai et je m'occuperai de l'alarme. Il nous faut un fourgon, aussi. J'ai besoin de toi pour ça. Tu le fais

239

passer derrière le bâtiment, on charge – vingt minutes max –, et on le transporte à Houston. Et c'est moi qui me serai cogné tout le travail pénible.

— C'est quelle adresse ?

— 4515 Broadway.

— Qui est-ce qui te fait entrer, déjà ?

— La femme de ménage, *man*. Je traînais avec son frère.

— Est-ce qu'il y a des allées de l'autre côté ? Des endroits où on peut surveiller le bâtiment ?

— Ouais, bien sûr. Tourne ici. »

Ses genoux sautillaient, et il se tapotait les cuisses tout en mordant sa lèvre inférieure. J'avais répété tout un éventail de dialogues entre nous, de scénarios possibles. Mais même si tout se passait bien et qu'on s'en tirait tous les deux les poches pleines, ça ne ferait que l'encourager. Peu importait ce qu'il disait de sa parole : une vérité toute simple du monde réel, c'est qu'on peut pas faire confiance à un junkie. Il aurait toujours comme munition ce qu'il savait sur les deux filles.

J'ai essayé de ne pas y penser, parce que Tray était comme la fille du motel d'Amarillo : aucune bonne occasion ne lui profiterait. Tout ne pouvait que foirer.

Je lui ai demandé : « Ton foyer, il était où ?

— Hein ? Oh. À Jasper.

— On t'a jamais obligé à cueillir du coton, là-bas ?

— Euh. Non.

— Dans le mien, on m'y obligeait. On nous envoyait tous dans les champs, tous les ans, d'août à septembre. De l'esclavage. Un programme qu'ils appelaient le Supplément de sociabilité.

240

— Hmm.

— Tu as eu une famille d'accueil ?

— Euh, ouais, a-t-il dit. Une fois, quand j'avais huit ans. Elle était pas mal. Et puis ils ont dû déménager. Ils pouvaient pas m'emmener. À cause du boulot du mec. » Il a tendu une main vers le pare-brise. « On y est.

— Je vais me garer dans la rue d'à côté. On reviendra par l'allée.

— Ouais, bien sûr. »

Nous avons suivi l'allée en restant dans l'ombre. Un conteneur à ordures, des papiers emportés par le vent. Pas de fenêtres au-dessus de nous. Il a montré la clinique. « J'sais pas, j'ai dit. Ça m'a l'air en pleine vue.

— Ça l'est pas. Pas à l'arrière. Il y a une autre allée, derrière. Et, là, ils ont un endroit pour charger. »

J'ai répété : « J'sais pas » et je l'ai laissé passer devant moi. J'ai sorti les solides gants de travail que j'avais fourrés dans une poche à l'arrière de mon pantalon, et j'ai retenu ma respiration tout en les mettant. J'aurais pu m'y prendre de plein de façons, mais puisqu'il était aussi mince qu'un chaton, ça marcherait. Je ne faisais pas de bruit.

Quand il s'est retourné, il a fait un petit saut en arrière tellement je m'étais rapproché, mais c'était trop tard. Je l'ai saisi par la gorge. Ses yeux se sont remplis d'une compréhension horrible, puis ils ont enflé comme des ampoules de sang. J'ai dit : *Shhhh.* Ce visage qu'ils me font toujours – *Attends, attends.*

Il s'est débattu, mais mon allonge dépassait la sienne d'au moins vingt centimètres. Son visage a viré au pourpre, des capillaires sous sa peau ont gonflé et éclaté. Il a essayé de se servir de son petit couteau, mais son arme est tombée par terre avec un bruit métallique quand je lui ai pressé l'os hyoïde avec mes pouces et que je l'ai senti se briser. Il a battu des cils, et ses yeux ont roulé vers l'arrière. Un ultime gargouillis, le râle de l'air qui sortait de son corps, et j'ai senti l'odeur de ses intestins qui se vidaient. Sa langue pendait comme une grosse limace épuisée.

En le reposant, j'ai eu envie de lui donner une explication, de le persuader que c'était seulement à cause des filles. Mais ça n'aurait pas rendu les choses plus faciles pour lui.

J'ai vérifié les deux bouts de l'allée, là où la lumière des réverbères mordait dans l'obscurité, et j'ai avancé mon pick-up de façon à mettre la portière exactement face à l'allée. J'ai balancé Tray du côté passager et j'ai redressé son corps contre la vitre fortement teintée.

J'avais projeté de prendre une route d'accès qui ne serait pas éclairée, d'envelopper Tray dans la bâche et de l'allonger derrière la cabine, sur le plateau du pick-up. Mais, à mesure que je sortais de la ville, il m'a paru avoir une position plus naturelle là où il était, contre la portière, comme s'il était simplement inconscient. Et bien que l'odeur de sa merde de mourant emplisse la cabine, une intimité persistait ainsi entre nous.

J'avais l'impression d'une reconnaissance mutuelle. Il savait ce qu'il en était du vide des vastes champs, des studios, du café qu'on prépare sur une plaque électrique, de la voix qui crie : « On éteint ! » De mon côté, j'étais le seul à pouvoir comprendre la terreur qu'il avait éprouvée dans le lieu où il s'était trouvé tout à la fin, dans cette allée, avec moi.

C'est ainsi que je l'ai conduit hors de la ville, affalé contre la portière. Mon pote soûl. Mon dernier copain. Mon moi plus jeune, faible et inconscient du danger.

LA PORTE SE TROUVE À CINQUANTE KILOMÈTRES ENVIRON de Galveston. Il y a là un marais qui se jette dans la baie. Je m'y étais déjà rendu deux fois quand je travaillais pour Sam Gino. Il y avait bien longtemps. Mais c'était resté comme dans mon souvenir. Une étendue d'eau stagnante appelée marais du Chien, vaste et noir fouillis de trous et de bourbiers circulaires. Toutes les parties de ce marais se ressemblaient ; c'était un labyrinthe de cyprès, de pins et de saules, grouillant d'alligators, de serpents et d'orphies antiques qui avaient la taille d'un canot. Autrefois, un chemin d'irrigation abandonné menait à un coude isolé et à un bout de forêt qui se transformait en marécage. Ça n'avait pas changé, sauf que tout était simplement un peu plus envahi par la végétation : cannes géantes, lianes enchevêtrées, arbres de grande hauteur recouverts par du kudzu qui les réunissait comme s'ils ne formaient qu'une seule entité. Il leur donnait l'apparence d'une créature préhistorique dont la silhouette feuillue se détachait en une série de crêtes sur un liseré de nuit plus clair.

J'ai éteint mes phares dans le chemin d'irrigation et je me suis arrêté entre des pins, près du coude. Après avoir fait un trou dans un des sacs-poubelle, je l'ai revêtu comme un tablier de coiffeur, et j'ai sorti du pick-up le corps de Tray. J'ai pris ses clés et son portefeuille, je lui ai enlevé sa chemise et son pantalon, et j'ai incisé la chair sous ses bras qui se refroidissaient déjà et où le sang était devenu épais et mou.

J'allais l'envelopper de plusieurs sacs et me servir de la corde pour le ligoter quand j'ai entendu des éclaboussements, quelque chose qui fendait l'eau. En regardant dans l'obscurité, je suis presque arrivé à voir l'alligator se propulser dans le marais d'un grand coup de queue, et je l'ai entendu briser la surface – un petit *floc*. Quelque part, il y a eu des battements d'ailes.

J'ai hissé Tray jusqu'au bord du coude, à un endroit un peu surélevé. Il était léger, même en tant que poids mort. Je l'ai fait basculer d'un coup d'épaule, et il est parti dans le noir en faisant plouf. J'ai tendu l'oreille, et perçu de faibles bruissements et des bruits d'eau – des bêtes qui s'approchaient pour voir ce que c'était. Puis j'ai fourré ses vêtements dans un sac-poubelle que j'ai ligaturé et jeté dans le marais. L'eau a commencé à tourbillonner et à clapoter.

En quittant La Porte, j'ai balancé son portefeuille dans la poubelle d'un McDonald's, ensuite je me suis arrêté au premier magasin sur ma route. Là, j'ai acheté une pinte de Jim Beam – un whisky horrible, mais c'était tout ce qu'ils avaient.

Rocky n'était toujours pas au motel, et les lumières de la chambre des deux sœurs étaient éteintes. Je me suis introduit dans la chambre de Killer Tray. Il ne possédait pas grand-chose, mais j'ai ramassé ses livres et les vêtements qui se trouvaient là, et j'ai tout mis dans un sac-poubelle. M'assurant ensuite que le champ était libre, j'ai transporté le sac dans un conteneur à ordures une rue plus loin.

Je suis retourné dans ma chambre, où j'ai pris une douche et viré mes vêtements avant de m'asseoir face à la fenêtre. J'ai bu quelques gorgées d'une nouvelle bouteille de whisky bien meilleure que l'autre, et j'ai fumé des cigarettes en regardant dehors. Mes genoux n'arrêtaient pas de sautiller et mes poings de se contracter.

Vers une heure du matin, une longue Cadillac de couleur sombre est entrée majestueusement dans le parking. Pas le genre de véhicule qu'on se serait attendu à voir échouer ici. Vitres teintées et moteur silencieux, même si l'on pouvait entendre son ronron puissant et tranquille.

Rocky est descendue du côté passager. Elle vacillait un peu sur ses hauts talons. Elle portait une robe apparemment neuve qui la moulait étroitement et ressemblait à une peau de zèbre. Elle a fermé la portière, reculant un peu en titubant comme si elle était soûle. Lorsque la voiture est repartie, Rocky a été prise un instant dans la lumière de ses phares : elle plissait les yeux, et je l'ai vue s'arrêter et aplatir sa main contre sa bouche quand elle a remarqué mon pick-up.

AU MOMENT OÙ J'AI OUVERT LA PORTE, Rocky avait encore un air de supériorité un peu hébétée, mais quand j'ai avancé sur elle, son visage a changé. Prenant peur, elle a juste réussi à articuler « Roy » d'une voix aiguë et fêlée.

Sans m'arrêter, je lui ai agrippé le poignet et je l'ai traînée jusque dans ma chambre.

Je l'ai lancée à l'intérieur. Elle est tombée à genoux, et sa tête a heurté le matelas de manière un peu théâtrale. J'ai refermé la porte d'un coup de pied et j'ai tiré le rideau.

« Roy ! Attends ! » Elle s'est reculée de quelques centimètres sur le sol. « Attends. » La robe remontait sur ses jambes, une des bretelles avait glissé de son épaule. J'ai aperçu des marbrures grises autour du haut de sa cuisse.

Je lui ai dit : « Tu devrais pas mettre de mascara. Tu sais pas le mettre. T'as l'air ridicule. »

Elle a essayé de dire quelque chose pendant que je sortais ma ceinture, mais elle a perdu sa voix quand elle a rencontré mon regard, et ses yeux se sont agrandis en voyant la boucle. Elle avait cru que ce serait à sens unique, qu'elle pourrait parler, me traiter de ci ou de ça

247

et s'en tirer par des pirouettes. « *J'ai cru que tu étais parti pour de bon !* » a-t-elle dit.

Je l'ai soulevée par les cheveux, la tenant de telle façon que si elle ne voulait pas les perdre elle était obligée de se mettre sur la pointe des pieds. Des larmes ont coulé sur les pentes raides de ses joues.

Je me suis contenté de la regarder dans cette position. Son nez était enflé, tout rouge, et, derrière le voile mouillé de ses larmes, ses yeux choqués, injectés de sang, n'arrêtaient pas de ciller. Elle planait sans doute encore. Sa poitrine montait et descendait.

Je l'ai giflée du plat de la main et elle est tombée en travers du lit.

Elle a crié : « C'est Tray, il m'a dit que t'étais au courant. Il m'a montré le journal.

— Et ma vie. Et celle de la petite fille. Tu lui as parlé de nous ?

— Quoi ? Non... »

J'ai plié la ceinture et je l'ai fait claquer entre mes mains.

« Roy, Roy. » Elle cherchait ses mots en pleurant et en levant les bras. « L'autre, là, Tray, il posait des questions sur toi. Déjà la première fois que je l'ai vu, le matin où on était tous dehors. Je lui ai dit que t'étais une terreur, que t'étais notre oncle, et dangereux. Point barre. J'ai cru que tu t'étais tiré pour de bon. Il m'a acheté de la bière. C'est tout ce que je lui ai dit. Il m'a montré le, le... journal.

— Tout ce que tu racontais sur jouer franc-jeu. Il t'est pas venu à l'esprit de me dire que t'étais une meurtrière ? »

Elle s'est contentée de secouer la tête en fixant le plancher. « Tu ne... Il... *il*...

— T'as fait de moi un complice. Et la petite fille. »
Elle a encore secoué la tête.

« Et dès que j'ai le dos tourné, tu te mets à faire la
pute.

— Le *dos tourné* ? Je croyais que t'étais parti pour de
bon. T'as rien dit. Tu t'es barré, c'est tout. Puis l'autre,
là, Tray, m'a offert une bière et m'a dit que tu avais
pris tes sacs avec toi. Il fallait bien que je trouve de
l'argent, *man*. Tu voulais que je fasse quoi ? Et qu'est-ce
que t'en as à foutre ? » Elle paraissait trop hébétée pour
tenir debout ; elle dodelinait de la tête et articulait à
peine.

« Tu as été où, pour prendre ces coups sur tes
cuisses ? »

Elle a baissé sa jupe, haussé les épaules et ramené ses
jambes contre son corps.

« C'était là où tu as trouvé ta robe ? »

Elle a émis un bégaiement long et plaintif comme si
elle n'arrivait pas à reprendre son souffle, et elle a écrasé
son visage contre ses genoux en respirant par à-coups.

« Bon sang, je suis vraiment con. » Je me suis accroupi
près d'elle et j'ai laissé la lourde boucle de ceinture se
balancer devant ses yeux. « Ça n'aurait aucune importance, sauf que t'as pris la petite avec toi. Tu l'as enlevée
de chez elle, et maintenant tu l'as mêlée à tout ça. Et
moi en plus. Imagine que tu te fasses choper en train de
vendre ton cul ? Qu'est-ce qui va se passer ? Merde, je
suppose que tu sais quand même que c'est illégal, pas
vrai ? Passons sur les conneries du genre dignité et sécurité – mais, merde, qu'est-ce que tu *trafiques* ? »

Je l'ai attrapée par le menton avec brusquerie et je lui
ai relevé le visage. Ses narines palpitaient, et son regard,
paralysé, trahissait une sorte de frénésie et de rage qui

m'apparaissaient comme une vraie folie à peine contenue.

« La femme à l'angle de ce bâtiment... Redresse la tête ! Regarde-moi. La femme à l'angle de ce bâtiment. Elle est prête à appeler les flics à ton sujet. À appeler les services sociaux au sujet de Tiffany. À leur dire qu'une pute a abandonné sa fille ici. Tu sais où ça conduira Tiffany ? Tu sais à quoi ça ressemble, un placement familial ? Tu m'écoutes ? Regarde-moi. T'as plus le temps de pleurer sur ton cas, espèce d'ordure. »

Elle s'est de nouveau tournée de l'autre côté et elle a secoué la tête. Elle s'est mise à dire « Non », à le répéter. Puis : « Je m'excuse, je m'excuse, je m'excuse !

— Laisse tomber. J'en ai rien à cirer. Tu vas tout foutre en l'air pour toi-même, et tu veux jouer à celle qui est trop conne pour s'en apercevoir. »

J'ai gardé sur elle un regard plein de haine jusqu'à ce qu'elle cesse de haleter. Puis je l'ai soulevée par les bras.

« Maintenant, parle-moi. Dis-moi ce que tu fais, à ton avis.

— Je voulais pas faire ça. J'ai perdu la notion du temps.

— Et avec Lance ? C'était quoi ? Et ce qui s'est passé à La Nouvelle-Orléans ? Ta copine dans la chambre ? »

C'est un sifflement qui m'a répondu. « Qu'est-ce que je dois... Comment est-ce que j'allais me débrouiller ? Hein ? On a besoin d'argent, Roy ! Tu t'étais tiré ! » Elle s'est essuyé le nez et elle a lissé sa robe. « Tu vas pas rester. Ça, je le sais. Alors, qu'est-ce que je devais faire ? Et toi, t'en as rien à foutre. Qu'est-ce que je devais faire ?

— Je crois qu'avant d'arriver à la case "pute" tu peux trouver quelques centaines de réponses. Qui c'était ? Dans la Cadillac ?

— Un mec. C'est tout. Je l'ai rencontré l'autre soir. Il était dans le coin pour quelques jours et cherchait de la compagnie. Il payait bien. Je peux régler une semaine de plus ici, acheter à manger. Et d'autres fringues.

— Regarde-toi.

— Tu crois que ça me fait quelque chose ?

— Non. Je sais pas au juste ce qui te fait quelque chose. Je me l'imagine pas. Regarde-toi. T'es complètement défoncée à la coke.

— Non. Je... J'ai pas... » Mais aussitôt elle est retombée dans ses lourds sanglots et elle a fait comme si elle était incapable de parler. Elle s'est pelotonnée contre le lit et elle a mis sa tête entre ses mains.

« Bordel. Ça aurait pu être bien, Rocky.

— Mais t'étais parti où ? T'étais parti où ?

— Comme si c'était de ma faute. J'ai plus aucune raison de rester avec toi. Tu comprends ?

— Comme tu voudras. »

J'ai enroulé la ceinture autour de ma main et je me suis dressé au-dessus de Rocky. L'unique lampe étirait les ombres de la chambre en formes squelettiques et dessinait des traces monstrueuses sur le visage de Rocky. De l'air salé, et des vestiges d'odeur de sexe, humide, musquée. Le cuir craquait autour de mes jointures. Je n'en avais pas envie, mais c'était comme battre un chien qu'on aime.

Il faut lui apprendre ; dommage que ce soit la seule façon d'enseigner quelque chose à ce stupide animal.

Mais soudain un accès de toux m'a frappé comme l'aurait fait un fusil à deux coups. De lourdes masses ont percuté ma cage thoracique. Je me suis plié en deux et j'ai craché d'horribles glaires mouchetées de sang.

Des étoiles ont éclaté dans mes yeux, ma tête s'est mise à tourner. N'arrivant plus à reprendre haleine, je suis tombé à genoux. La douleur m'étouffait, et, à chacun de mes aboiements, c'était comme si je recevais un violent coup de marteau dans la poitrine. J'avais mal aux côtes, l'intérieur du thorax meurtri, des éclairs qui dansaient dans mon champ de vision, et je pouvais déjà voir Mme la Mort se frayer un chemin dans mes chairs délicates : chaque fois que je toussais, sa faux frappait.

« Roy ? » Elle s'est glissée près de moi. « Roy ? Eh, *man*. Tu vas… Tu veux que je téléphone ? »

J'ai tendu le bras pour l'en empêcher. Je lui ai pris la main et je l'ai serrée trop fort, comme si je m'accrochais à une ancre, et j'ai continué à tousser avec des rugissements, des raclements et des bruits de gorge sèche. Mais elle ne m'a pas lâché. Elle a gardé ma main dans les deux siennes, la serrant jusqu'à ce que j'aie fini de tousser et même après.

Une fois la crise passée, il m'a fallu quelque temps pour me ressaisir, et quand j'y suis arrivé j'avais le visage couvert de larmes et de morve. En regardant Rocky, j'ai compris qu'elle voyait la peur qui se peignait sur moi.

Je me suis essuyé la bouche ; il n'y avait pas de sang.

« Il faudra quoi ? ai-je demandé avec la voix sifflante d'un vieillard qui se serait gargarisé au Destop. Il faudra quoi. Quoi ?

— Non. Ne nous quitte pas, *man*. Je peux pas… » Elle a fait un geste comme pour s'essuyer la figure, et elle a serré ma main encore plus fort avant de la relâcher.

252

« Bordel. »

Elle se frottait la paume d'une main avec les doigts de l'autre et m'observait d'un air inquiet. « Tu ne devrais pas voir un docteur ?

— Il te faut la météo pour te dire qu'il pleut ?

— Mais tu es malade. Pas vrai ? Je sais que tu ne veux pas que je te le rappelle. Mais tu t'en occupes pas. Tu ne fais que boire. Et fumer.

— Quand on est malade comme moi, c'est pas quelque chose dont on récupère.

— Roy... » Son visage s'est lentement tordu, comme celui d'un enfant qui se rend lentement compte de la portée d'une mauvaise nouvelle. « Quand j'étais à Orange, je, je, je... » Son bégaiement est devenu très fort, et elle a porté les deux mains à sa bouche.

« Calme-toi. T'es à l'abri. Personne va faire le lien entre cette affaire et toi. Je me suis débarrassé du pistolet. »

Elle a baissé les yeux vers ses genoux et s'est mise à pleurer – mais d'une autre manière, plus pénétrée de chagrin.

« Eh, c'est fini, terminé. C'est du passé. Ça reviendra pas jusqu'à toi. La seule personne avec qui tu dois régler cette affaire, c'est toi-même.

— Je suis tellement... » Elle a secoué la tête. « Tu sais pas. Il disait, il disait tout le temps que c'était de ma faute... » Un frisson de douleur gênée est passé sur son visage ; elle a de nouveau eu l'air d'une petite fille et j'ai pu sentir à quel point elle se détestait.

« J'ai aucun doute qu'il le méritait. Tu comprends ? J'ai aucun doute. Si tu m'avais dit pourquoi, je l'aurais sans doute fait moi-même. Pas d'importance. C'est fait. Oublie-le. »

Je me suis levé et je l'ai aidée à se mettre debout à son tour. Puis, quand j'ai posé ma main sur son épaule, elle a appuyé sa tête contre ma poitrine pour pleurer.

« C'est comme ça que ça marche pour ces choses-là. T'es pas obligée de les ressentir. Tu peux dire ce que tu ressens et ce que tu ne ressens pas. Tu peux garder pour toi ce que tu veux. Si quelque chose ne marche pas, largue-le. »

Elle s'est cramponnée à moi – une force étonnante dans ces bras agiles.

« Tu crois à l'enfer, Roy ?

— Non. En tout cas, pas ailleurs que sur Terre.

— Il faut que je récupère Tiffany. Est-ce que je devrais...

— Je vais régler la situation avec Nancy. Si elle a téléphoné à personne, c'est uniquement parce qu'elles adorent toutes Tiff.

— Je sais. C'est ça. C'est ce que je me suis dit, Roy, quand je... Je veux dire que je voyais les dames, là, et je voyais qu'elles feraient tout pour qu'il ne lui arrive rien de mal, ou...

— Tu peux pas faire ça.

— Je sais. »

Comme elle avait les genoux qui tremblaient, je l'ai fait asseoir sur la chaise. Elle avait besoin qu'on lui parle encore comme à un enfant. Je lui ai dit : « Parle-moi de lui.

— J'ai pas envie. » Elle a secoué la tête.

J'ai réfléchi un instant. « C'est pas ta sœur, pas vrai ? »

Elle m'a lancé un regard effrayé, puis elle a de nouveau baissé la tête et s'est remise à pleurer.

« C'est bon, j'ai dit. Ça va.

— Et je l'ai laissée. Je l'ai abandonnée. »

Je n'ai pas réagi. Elle est restée assise et sa respiration s'est calmée. Je me suis frotté la poitrine en attendant la suite.

Quand elle a parlé, c'était d'une voix douce mais empreinte d'une sobriété nouvelle. « Ce qui s'est passé, c'est que je suis tombée malade. Maman était pas là. Parfois elle quittait la ville pour aller travailler dans un congrès, souvent juste pendant deux ou trois jours. Mais elle était pas là. J'avais attrapé la grippe ou quelque chose comme ça en passant la nuit sous le vieux pont routier. C'est une autre histoire. Quand j'étais rentrée chez moi, j'avais de la fièvre et j'ai dû rester au lit. On était que Gary et moi, alors il a déplacé la télé dans ma chambre pour moi, et je me souviens que je trouvais ça gentil. On avait pas de médicaments, et il buvait à une bouteille. Il m'a dit que ça faisait du bien quand on était malade. Que sa mère leur donnait un peu de whisky, à lui et à ses frères, pour combattre le rhume. Donc il était assis là, avec moi, à regarder la télé, et de temps à autre il m'offrait un coup à boire dans un petit gobelet en papier. Je m'en souviens, c'était un gobelet en papier. Au bout d'un moment, je me suis sentie mieux, ouais, plus heureuse, et ça m'était égal d'être malade. Il me racontait des blagues, et on se marrait en regardant ce qui passait à la télé. La lumière était toute basse – juste deux ou trois bougies et la télé –, Gary s'asseyait dans le lit à côté de moi, et moi ça me gênait pas parce que je commençais à me sentir bien. Mais il était si gros qu'il creusait le lit, et ça me faisait rouler vers lui pendant que je m'endormais. Et puis je sais plus, il était tard et j'ai eu l'impression de me réveiller, sauf que je devais déjà l'être, réveillée. Je sais pas vraiment comment ça s'est passé. Mais je me suis réveillée et voilà : il était sur moi. » Elle a secoué la tête, déconcertée, comme si elle racontait l'histoire de quelqu'un d'autre. « Il était si gros. Ouais, j'arrivais pas à respirer. Il avait des gros boutons sur les épaules, des énormes plaques rouges, et il sentait la langouste, la vase. »

J'ai pensé à des choses auxquelles on ne peut pas survivre même si elles ne vous ont pas tué.

Elle a continué : « Bon, quand maman est rentrée. Je sais pas. Je crois qu'il lui a dit. Il lui a raconté que c'était de ma faute ou un truc comme ça. Et elle a plus été pareille avec moi. Moi, j'avais envie de hurler chaque fois que je voyais Gary. Je connaissais rien. Je comprenais pas ce qui se passait. J'ai commencé à grossir, et maman est partie pour de bon. Alors Gary s'est mis à dire que ce serait une bonne chose, qu'il pourrait toucher des sous de l'État. » Elle a mis sa tête entre ses mains. « J'ai commencé à grossir et je pouvais plus sortir. Il m'a juste emmenée à l'hôpital, à la fin. Pour moi, tout a fini il y a longtemps. »

Je me suis penché vers elle. « Va dans ta chambre. Prends un bain. Détends-toi, vire tout ça de ta tête, redescends ! Remets-toi l'esprit en place. Ça, ce que tu faisais là, c'est terminé.

— Qu'est-ce que tu... ?

— Je vais rester dans ma chambre. Pour moi aussi, la nuit a été longue. Demain matin, je parlerai à Nancy. Il me sera bien venu une idée d'ici là. On peut plus rester ici. Il faut qu'on s'en aille.

— O.K. O.K. Je suis désolée.

— Laisse tomber.

— Je suis désolée de t'avoir forcé à écouter tout ça. »

256

Je lui ai ouvert la porte et elle est sortie. Elle a marqué un temps d'arrêt en voyant la moto de Tray toujours devant sa chambre. Elle m'a jeté un coup d'œil par-dessus l'épaule mais n'a rien dit. Debout dans l'embrasure de la porte, je l'ai regardée regagner sa chambre. Elle s'est retournée une fois de plus comme pour s'assurer que je n'avais pas disparu, puis elle a refermé.

J'ai passé un bout de temps, aux premières heures du lendemain, à chercher le moyen de prendre le bon tournant pour la suite. Je voulais que ces filles puissent avoir un peu d'argent. Rocky gardait tout au fond d'elle une peur, nourrie par l'expérience, de ce qu'être privée de ressources signifie réellement.

Peut-être continuerait-elle malgré tout à faire ce qu'elle faisait. Ça n'avait peut-être pas une grande importance.

Je me suis gratté la poitrine. Je sentais que la violence de ma toux avait rendu l'intérieur sensible et douloureux.

Ma maladie avait tout accéléré. Je crois que si j'avais eu une vie devant moi, je serais peut-être resté avec ces filles ; j'aurais sûrement essayé de faire marcher les choses quelque temps. Mais je n'allais tout simplement pas durer assez longtemps.

J'ai regardé ma fumée se disperser contre les petites boucles de papier peint décollé. À mesure que le niveau de la bouteille baissait, des intuitions et de l'excitation gagnaient mes pensées, et un plan émergeait.

J'ai fouillé dans mes affaires et pris le dossier récupéré dans la maison de Sienkiewicz.

J'AI RÉGLÉ LES CHOSES AVEC NANCY, qui, du moins pour un moment, a paru rassurée quant au bien-être et aux besoins de Tiffany. Je lui ai annoncé notre départ. Alors que je commençais à m'éloigner, elle m'a demandé : « Auriez-vous vu M. Jones quelque part ? »

Je me suis arrêté et j'ai fait non de la tête. « Je lui ai parlé hier après-midi un petit moment. Pour lui demander où était Rocky. » Puis, me tournant vers la chambre de Tray : « Sa moto est toujours là. »

Elle n'a pas fait de commentaire.

« Il vous devait quelque chose pour la chambre ?

— Non. Il lui reste deux jours, en fait. »

Je n'ai rien ajouté et me suis dirigé vers la chambre des filles. Rocky était assise derrière Tiffany. Elle lui caressait les cheveux, et toutes les deux, sur le lit, regardaient un talk-show à la télé. Je lui ai dit : « Aujourd'hui, il va falloir que tu restes avec ta sœur. Soyez sages. Je reviens dans pas longtemps. »

Elle semblait calmée, vidée, abattue. Elle a répondu doucement, sans se tourner vers moi : « Qu'est-ce que tu vas faire ?

— Je mets un truc au point. Je reviens dans pas long-temps. C'est pour vous deux.

— O.K. » Elle contemplait les cheveux de Tiffany avec une expression passive et distante. Ses mains bougeaient machinalement, comme des rouages.

J'ai vérifié qu'elles avaient un peu d'argent et j'ai roulé jusqu'à San Marcos ouvrir un compte à la First National Bank.

J'avais réexaminé les papiers du dossier. Des mani-festes, des listes d'arrivée et de départ de fret accompa-gnées de notes manuscrites mentionnant la disparition de certains conteneurs. Ces conteneurs étaient entourés de rouge et référencés deux fois dans un registre de comptabilité qui répertoriait les paiements et les pertes de fret dans un style étonnamment clair, sans code à déchiffrer ni chiffres fluctuant entre des marges. Le nom de Ptitko revenait assez souvent. Je supposais que Frank Sienkiewicz avait estimé que c'était pour lui une sorte d'assurance, un moyen de se protéger.

C'était assez bête, en fait. Peut-être tentait-il d'opérer un arrangement avec la justice et cette information était-elle une monnaie d'échange. Peut-être s'en servait-il pour menacer Stan. Je ne savais pas.

Il y avait partout des agences de la First National Bank, y compris à La Nouvelle-Orléans. Je pourrais les appeler de n'importe où et obtenir mon solde en composant juste quelques chiffres.

Tout ce dont on avait besoin, à cette époque, c'était d'un permis de conduire et d'un second papier d'iden-tité. J'ai donné comme adresse, pour ce compte, celle qui figurait sur mon permis de conduire – quelque part à Alexandria.

Ces démarches m'ont pris la plus grande partie de la journée, et quand je suis rentré, en fin de soirée, je suis allé voir les filles. Rocky était au lit. Allongée, elle contemplait le plafond tandis que la télévision ronronnait et que Tiffany s'amusait avec un ours en peluche que les vieilles dames lui avaient acheté.

« Salut. Tu vas bien ? »

Elle a cligné des yeux tout en continuant à regarder au plafond la carte que dessinaient les taches gris-brun causées par l'humidité.

« Tu te sens pas bien ?

— Non, ça va.

— Bon. Qu'est-ce qui se passe ? »

Elle a répondu brièvement, la bouche molle. Pourtant, ses yeux bougeaient un peu, et donnaient l'impression de vouloir se concentrer comme si elle regardait un film qui passait sur le plâtre taché au-dessus d'elle. « Je me repose, c'est tout. Je suis fatiguée, Roy. »

La petite a penché la tête en arrière pour nous regarder. L'ours en peluche pendait mollement entre ses mains : elle avait les doigts serrés autour de son cou comme si elle l'avait étranglé.

J'ai demandé à Rocky : « T'es pas malade ?

— Non. Pas du tout. C'est vrai. »

Le regard de Tiffany passait de Rocky à moi : on aurait dit qu'elle cherchait à comprendre, et un frisson de peur m'a parcouru le dos. Pour la dixième fois, peut-être, je me suis demandé quel avenir l'attendait, et j'ai pensé à la fille du relais routier d'Amarillo.

De nouveau, Rocky a dit : « Je me repose, Roy, c'est tout. J'atterris lentement et je remets de l'ordre dans ma tête. Ne t'en fais pas, ça ira. » Ses pupilles bougeaient

comme si elles suivaient quelque chose de très agité.
« Une bonne nuit de sommeil et ça ira.

— Je vais m'absenter encore un peu. Juste quelques
heures, pas plus. Après, je devrais pas être obligé de
repartir. Je veux pas que tu t'inquiètes. Veille sur ta
sœur. Je rentrerai tard ce soir. Voilà trente dollars.
Achète-toi une pizza ou ce que tu veux.

— O.K. »

Tiffany tordait dans ses mains l'ours dont les bras
battaient l'air.

« Je me disais qu'on pourrait peut-être sortir demain
soir. » Ça m'a paru un peu bête quand je l'ai dit, mais
j'avais l'impression qu'il ne me fallait pas quitter Rocky
sans lui laisser quelque chose, une promesse qui
l'accompagnerait dans sa nuit. « Peut-être juste nous
deux. Aller dîner. Quelque chose dans le genre.

— Parfait. Ça me semble bien, Roy.

— D'accord. Bon, à plus tard, les filles.

— Qu'est-ce que tu vas faire, en vrai ?

— Passer un coup de fil. »

Dehors, le ciel était noir, sans étoiles, et dans cette
atmosphère lourde la pluie paraissait certaine. Un des
phares de mon pick-up commençait à me lâcher.
Devant moi, le faisceau lumineux du côté gauche était
de moins en moins fort, et son vacillement faisait
clignoter la bruine. Au cas où ceux que j'appellerais
auraient eu un moyen de détecter l'indicatif de zone,
j'avais estimé qu'il valait mieux que je sorte de la ville
pour téléphoner. J'ai donc roulé pendant deux heures
jusqu'en Louisiane. Jusqu'à Leesville.

C'était devant une station-service abandonnée : une
cabine téléphonique de guingois, le sol meuble ayant
été creusé d'un côté. Les panneaux annonçant les prix

des carburants étaient tous vides, et les vitres du bureau, à côté du garage, étaient recouvertes de sacs-poubelle coupés et dépliés. J'ai pensé aux sacs que j'avais achetés pour Tray, et mes mains se sont mises à trembler. Dans la cabine téléphonique, j'ai bu deux gorgées d'une pinte de J&B et j'ai fumé une cigarette. Les épaisses forêts qui bordaient l'ancienne route principale résonnaient de chants d'insectes. Des mauvaises herbes avaient poussé comme du poil raide dans les fractures du sol en béton – sol à présent d'un jaune crayeux sous l'éclairage du réverbère penché sur la cabine comme une mère protectrice. À l'extérieur du champ de lumière, les arbres bruissaient dans le vent.

Quand ma cigarette a été terminée, j'en ai fumé une seconde. Puis j'ai pris le combiné, j'ai déposé mes pièces de dix *cents* et j'ai composé le numéro.

J'ai dû passer d'abord par George, le barman, et j'ai failli lui demander comment allait son oreille.

« Dis-lui que c'est Roy. »

Deux longues minutes se sont écoulées. En attendant qu'il prenne la ligne, j'écoutais les insectes, je regardais les papillons de nuit et les moustiques qui tournoyaient et tentaient de monter dans cette lumière jaunâtre. Avant qu'il ne se mette à parler, j'ai entendu un déclic, un léger accroissement des bruits parasites – je savais qu'il avait un appareil connecté à la ligne de son bureau pour empêcher qu'on espionne ses appels.

« Ça ne peut être que quelqu'un qui joue au con avec moi », a dit la voix à l'autre bout du fil. Une voix basse et éraillée, comme celle d'une grenouille-taureau, mais guindée, aussi, et qui affichait son accent de La Nouvelle-Orléans. Il avait toujours eu l'habitude d'articuler avec précision. « C'est vraiment toi ?

262

— C'est vraiment moi », j'ai dit. Je l'ai entendu tirer sur une cigarette – j'entendais même le grésillement du tabac qui brûlait. J'ai pensé à Carmen en train de lui sourire par-dessus son épaule. Je me suis senti exposé, ici, sous la lumière du réverbère, seul face à la route vide et à l'obscurité pleine de hurlements.

Il a dit : « Ça, c'était du boulot. Impressionnant, je veux dire.

— J'avais pas le choix.

— Non, je m'en rends compte. On a nettoyé. Mais merde, je me demandais si on allait avoir de tes nouvelles, tu vois ?

— Surprise, surprise. » J'ai entendu sa cigarette faire un petit bruit sec, se casser doucement en deux, et je me suis représenté son visage rond, renfrogné, ses yeux de fouine calculateurs, pleins de mépris, et la fumée qui sortait de ses naseaux.

« Tu vas revenir par ici ? a-t-il demandé.

— Ça me viendrait pas à l'esprit.

— Ouais. Je pensais bien.

— Mais pourquoi ? Je comprends pas.

— Pourquoi quoi ? a-t-il demandé.

— Pourquoi est-ce que tu nous as niqués comme ça, Stan ? Je veux dire, pour quelle raison ?

— Tu te trompes, Big Country. C'est pas nous. C'est les Arméniens. Ils avaient leur propre compte à régler avec ce mec. Des affaires entre eux. Seulement vous vous êtes tous pointés en même temps. On a pas eu de chance. Ils avaient pas l'intention de vous tomber dessus. Ils étaient juste là pour lui.

— Vraiment ?

— Absolument. Un coup de malchance. Mais bon, la malchance, elle est pour eux, pas vrai ?

— T'es sérieux ?

— Parole d'honneur. »

J'ai étudié mon reflet dans le verre fendu et sali de la cabine. Je ne me ressemblais pas. J'avais perdu presque quatre kilos pendant la semaine précédente et je n'avais plus de cheveux. « Sauf que tu nous as dit de pas emporter de flingues. Tu t'en souviens ? »

Il n'a rien répondu. Je crois qu'il éteignait sa cigarette. « Stan ?

— Ah. Ça va. Tu m'as compris.

— Si t'as ce genre de problème avec tous ceux qui ont culbuté ta nana, tu vas avoir quelques centaines de mecs à descendre.

— Attention à tes conneries, Big Country.

— Nous niquer comme ça. Pour quoi ? Pour elle ? C'est grotesque.

— Ah. Mais tu y es pas vraiment. Toi et Angelo. Vous êtes pas exactement indispensables, dans l'entreprise. Le truc, c'était : pourquoi pas le faire ? Comme écraser une araignée. D'une pierre trois coups. Vous deux vous tombez pour Sienkiewicz. Tu piges ? Pourquoi pas le faire ? Le pourquoi, c'est parce que moi, bordel, je le veux. Le pourquoi, c'est que je le décide !

— Ta tête, c'est un nœud de vipères.

— T'as tout compris. »

J'ai avalé ma salive et pris une grande respiration. J'ai regardé les feuilles tremblantes qui marquaient les contours de l'obscurité.

« Bon, j'ai dit. J'ai quelque chose.

— Et alors ?

— Des manifestes de bateaux. Des documents. Un registre qui explique très clairement les transactions. Ton nom partout. Une lettre très longue et très détaillée qui explique les opérations. Tout ça écrit de la main du mec. Je suppose que c'est ce que cherchaient tes super-flingueurs. »

J'ai entendu s'écraser quelque chose à l'autre bout de la ligne.

« Sac à merde, il a dit. Sur ma tête, j'te jure...

— Sur ta tête, ouais. La merde, tu te l'es fait tomber dessus, gros enculé de Polonais ! C'est pour ça qu'ils étaient venus, pas vrai ? Pour ce dossier que Sienkiewicz avait mis au point. »

Ça crachait sur la ligne – des parasites. Des insectes ont rempli le cône de lumière découpé par le réverbère, on aurait dit des flocons dans une boule à neige. Du mouvement : au sud de la cabine, des ombres se sont mises à tomber des arbres tandis que la route s'éclairait et que des phares jaillissaient. Un grondement de moteur, puis mon cœur a eu un raté quand un fourgon est passé devant moi et m'a aveuglé un instant, me submergeant de vapeurs d'essence et projetant mon ombre démesurée à travers le parking.

« T'appelles d'où ? a demandé Stan.

— Aucune importance.

— Tu veux quoi ?

— Soixante-quinze mille. Déposés.

— Eh !

— C'est une affaire.

— Je trouve que c'est un peu beaucoup.

— Des copies vont partir. Au *Times-Picayune*. À Baton Rouge. À un média national. L'original au FBI. On voit "Ptitko". Juste là. Presque à chaque page. "Ptitko".

— Et alors.

— Prends un stylo parce que je vais raccrocher.

— Eh, attends. Qu'est-ce que j'ai comme assurance ?

— Tu peux être assuré d'un truc : s'il m'arrive quelque chose, ça sortira.

— J'ai pas envie d'en entendre parler tout le restant de ma vie. Je veux pas que tu me rappelles dès que t'auras grillé le fric.

— Je suppose que tu vas devoir te faire à l'idée que ma parole vaut mieux que la tienne. Tant que je respirerai, le truc est sans danger. J'ai lu des choses sur le mec qui s'occupe du cas, le proc fédéral, Whitcomb. J'ai lu dans la presse qu'il est super énervé parce que Sienkiewicz a disparu. » Il n'a rien répondu. « Ce fric, c'est mon ticket de sortie. Terminé. T'as un stylo ?

— Attends.

— Non. » Je lui ai lu mon numéro de compte à la First National. Je lui ai dit de déposer la somme avant quatre heures le lendemain, faute de quoi j'irais à la poste. Et j'ai raccroché.

Mes mains se sont remises à trembler, et mes jambes, affaiblies, flageolaient. J'ai avalé une forte gorgée de J&B. Puis, quand je suis sorti de la cabine, j'ai vomi. Des moucherons et des moustiques ont atterri sur la bile et ont commencé à tourner autour de ma tête comme s'ils dessinaient une couronne.

Pendant tout le trajet de retour, je n'ai pas arrêté de regarder ce qu'éclairait le phare qui faiblissait. Je buvais à la bouteille et je n'ai pas ouvert la radio. Mon pied glissait sans cesse sur la pédale d'accélérateur.

Dans l'île, des feux épars vacillaient sur les plages. Un vent bruyant venait du large. À part l'enseigne faiblement éclairée et une lampe dans le bureau, le motel était plongé dans l'obscurité. Le gril de Lance était de nouveau devant sa porte.

J'ai jeté un coup d'œil par la fente entre les rideaux de la chambre des filles, et j'ai vu la pâle lueur bleue de la télévision onduler au-dessus d'elles. Rocky, pelotonnée, serrait les couvertures contre elle. Tiffany était allongée près d'elle ; enveloppée d'un grand tee-shirt, elle avait les bras et les jambes détendus et écartés. J'ai éprouvé la même sensation de crainte que lorsque j'étais jeune garçon : mon ventre se mettait à me faire mal, mon dos à se raidir, et j'avais envie d'errer seul dans les champs pendant des jours entiers comme un chien malade.

LE LENDEMAIN, J'AI ANNONCÉ AUX DEUX VIEILLES DAMES que nous allions partir. C'était encore une journée humide, blanche et salée. Comme nous voulions laisser Tiffany profiter une dernière fois de la plage, elles ont demandé si elles pouvaient nous accompagner. Avec elles, nous avons marché plus lentement. J'ai porté leurs deux transats en alu tandis que Rocky se chargeait d'un grand sac en toile rempli des serviettes et des autres affaires de tout le monde. Aujourd'hui, elle était plus réceptive ; dès le matin, elle m'avait demandé où nous irions pour notre grand rendez-vous. J'avais déjà oublié que j'avais fait cette proposition.

Il restait pourtant en elle une tristesse mêlée d'ennui. Et cette résignation que j'avais vue toute ma vie sur des visages : celle des gens qui abandonnent, qui vont du côté où ils n'auront pas à lutter. Je voulais changer ça.

Les deux femmes portaient leur tailleur sombre en polyester même à la plage. Quand elles ont péniblement gravi la pente de sable avec Tiffany, elles ont laissé voir leurs épais bas bruns et même ces gribouillis sombres que dessinaient leurs varices. La brise faisait onduler ma chemise hawaïenne pendant que j'installais leurs transats. Elles se sont assises avec beaucoup de précautions, abritées par des chapeaux à large bord et des clips optiques teintés qu'elles mettaient par-dessus leurs lunettes de vue habituelles. Rocky a paru peu à l'aise avec les deux femmes, qui ont jeté des petits coups d'œil dans sa direction au moment où elle se déshabillait pour enfiler son maillot. Mais je suis resté un bon moment assis sur le sable près de ces deux sœurs, et nous avons regardé ensemble Rocky mener Tiffany vers les vagues.

De ma place, je pouvais discerner les meurtrissures sur sa cuisse, mais elle n'en était pas moins belle, avec son corps mince et sa peau rose pâle, ses muscles souples et son derrière vraiment hors classe. Il y avait en elle une part de beauté extraordinaire qu'elle ne laissait pas encore paraître, pour la bonne raison que cette beauté n'avait jamais trouvé sa vraie place. J'en suis persuadé.

Elle a conduit Tiffany dans l'eau, et la petite fille qui, d'abord effrayée, se rétractait devant les vagues a fini par hurler de rire quand elles se sont brisées sur son corps. Rocky en riait, elle aussi ; elle avait soulevé la petite pour laisser les vagues lui balayer les jambes, et nous pouvions entendre leurs éclats de rire qui se mêlaient au chuintement de l'eau.

Il y avait là d'autres personnes, et il en arrivait de plus en plus. Des familles, des gamins et des ados, des garçons à la peau bronzée et aux cheveux décolorés par le soleil qui regardaient Rocky en passant.

Les deux vieilles dames gloussaient et partaient dans des fous rires en suivant des yeux Tiffany dont les hurlements parvenaient jusqu'au sommet de la plage. Des gouttes de sueur perlaient sur leurs mâchoires, et elles les essuyaient avec un mouchoir qu'elles se passaient.

Dehra a déclaré : « Elle a un si bon esprit. Elle est si chaleureuse.

— Oui, a dit sa sœur. De si bonnes dispositions.

— Je, euh, suis content de voir combien cette petite vous plaît, ai-je dit.

— Elle est vraiment spéciale.

— Pour ça, oui.

— Je suis de votre avis. » J'ai attendu un instant avant d'ajouter : « Il se pourrait qu'elles restent ici quelque temps après mon départ. »

Leurs visages, sous les grands chapeaux et les lunettes de soleil, n'ont laissé paraître qu'un trouble à peine perceptible.

« Elles ont besoin de gens qui soient gentils avec elles. Il faudra à la petite des gens qui veillent sur elle, si sa sœur et elle restent par ici.

— Que voulez-vous dire ? a demandé Dehra.

— Je veux dire : au cas où je ne serais pas là. Si Tiffany avait besoin de quelque chose.

— Oh. » Elles ont échangé des regards.

« Je sais que vous veilleriez sur elle.

— Eh bien, vous savez, nous n'avons jamais vraiment...

— Pas de problème », j'ai dit avec un petit geste de la main. Je me suis levé et je suis allé vers la mer. Le sable me collait aux pieds et alourdissait mes jambes.

Au bord de l'eau, elles me souriaient. Tiffany levait les bras et agitait les mains pour que je la soulève. Je me suis avancé dans l'eau tiède, j'ai saisi la petite sous les bras, et, quand je l'ai lancée en l'air, elle a poussé des cris aigus et envoyé des coups de pied pour tirer le maximum de plaisir de son défi aux lois de la pesanteur. Des éclaboussures, la morsure du sel.

Pendant un moment, les fossettes de Rocky m'ont paru sincères. Elle lissait ses cheveux mouillés. La lumière étincelait sur l'eau de sa peau comme sur ses dents et dans ses yeux, mais mon regard se portait sans cesse sur les petits nuages gris qui marquaient ses cuisses. Elle a demandé : « As-tu décidé où tu vas m'emmener dîner ? »

Je me suis retourné et j'ai regardé le haut de la plage. Une des deux dames abaissait un petit appareil photo. Puis elles sont toutes les deux restées assises, figées dans leurs vêtements noirs comme des religieuses, avec des visages indéchiffrables, plongés dans l'ombre. Quelque chose, dans leur personnage double, m'a fait penser à un complot. J'ai songé au compte en banque.

Le bureau était encombré par trois bouquets de fleurs nouvelles – des cadeaux de Lance, me suis-je dit. Je comptais donner de l'argent à Nancy pour qu'elle s'occupe de Tiffany ce soir-là, mais les deux dames ont demandé à la garder, ce qui m'a étonné à cause de la réticence qu'elles avaient manifestée sur la plage quand j'avais abordé le sujet. Je suis allé au supermarché où j'ai loué quelques cassettes de dessins animés qu'elles pourraient regarder.

Vers quatre heures et demie, j'ai téléphoné à la First National, mais l'argent n'y était pas. Il n'y avait que les cinquante dollars que j'avais déposés pour ouvrir le compte.

Je me suis arrêté à un téléphone public près d'un débit de boissons où des ouvriers agricoles mexicains, debout sur le trottoir, se frottaient le ventre et buvaient de la bière dans des boîtes entourées d'isolant en papier. Peu importait le lieu d'où j'appelais – je serais parti dès le lendemain matin.

« C'est quoi, cette merde ? ai-je dit au téléphone.

— J'ai dû transférer de la thune, mais ça sera pas enregistré avant demain. Je voulais t'avertir, mais tu m'as pas laissé de numéro.

— Les envois sont empaquetés et timbrés, et j'ai mis les adresses.

— Arrête ce cinéma, s'il te plaît. Tu le veux, ce sera là demain. C'est tout ce que je peux te dire. »

J'ai raccroché. Les Mexicains m'ont observé tandis que j'achetais une pinte dans la boutique et que je m'en envoyais une bonne gorgée sur le trottoir. Leurs yeux ont rencontré les miens, ce qui n'arrive pas souvent, et leur silence, comme leurs expressions dénuées de sympathie, semblait me juger de la même manière que le regard de la fille d'Amarillo. Ils ne m'ont pas lâché des yeux pendant que je remontais dans mon pick-up.

C'est à ce moment-là que j'ai été le plus près de m'enfuir.

JE SUPPOSE QUE ROCKY AVAIT FAIT DES COURSES. Elle portait un joli petit ensemble, une jupe longue et légère ornée de bleuets avec un haut sans manches à l'encolure montante. La discrétion dont il témoignait visait sans doute à me plaire, mais je n'ai pas voulu penser à la manière dont elle s'était procuré l'argent de cet achat.

Elle avait l'air tout excitée, comme si la normalité de ce que nous faisions pouvait suffire à lui rendre la persévérance qu'il lui fallait pour être sérieuse et ne pas mentir. Elle avait même réussi à bien mettre son mascara : des touches légères qui transformaient ses cils en fines plumes foncées, et je me suis dit qu'elle avait peut-être là les yeux de la femme qu'elle deviendrait un jour.

Lance avait installé le magnétoscope dans la chambre des sœurs. Je les ai regardées emmener Tiffany qui sautillait et dévorait des yeux les deux vidéocassettes que j'avais louées.

En sortant, nous sommes passés devant le bureau. Lance était devant le comptoir. Après avoir jeté un coup d'œil dans notre direction, il s'est retourné vers Nancy qu'il semblait implorer ardemment tandis qu'elle gardait les bras croisés. Elle aussi nous a brièvement regardés.

« Où aimerais-tu aller ? ai-je demandé. En ville, dans un des beaux endroits ? »

Elle a réfléchi et fait non de la tête. « Plutôt un endroit comme le premier bar où on s'est arrêtés pour boire. Tu sais, juste quand on venait de se rencontrer ? À Lake Charles. C'était cool. Un bar de campagne ou quelque chose dans ce genre.

— Je pense qu'on aura pas de mal à en trouver un. »

Ce qu'il restait de soleil nous a inondés, et Rocky a dit combien elle aimait l'océan, ici, et la musique à la radio. Elle me mettait de bonne humeur, et je me sentais un peu ridicule d'accepter la petite illusion de liberté que me donnaient les feux en plein air, les vagues et l'air marin qui entrait par les vitres ouvertes. J'ai tenté de parler du genre de travail dans lequel elle se verrait un jour, mais elle revenait sans cesse au climat et à l'océan.

J'ai roulé un peu vers l'ouest, jusqu'à Angleton où les tavernes de bord de route ne manquaient pas. Nous avons jeté notre dévolu sur une des plus grandes, le Longhorn's, un bel endroit en longs rondins de cyprès qui avait l'air juste un peu trop bien pour des gens cherchant la bagarre. Plusieurs camions étaient garés devant à des angles bizarres, et il y avait un parking dont le sol était incrusté de coquilles d'huître.

Des tables au vernis épais entouraient une piste de danse en bois dur, et il y avait une petite estrade pour un D.J. et un orchestre. Quelques lanternes de faible intensité versaient une lueur sépia sur des images de westerns accrochées à des poteaux. D'un côté des tables,

274

un bar occupait tout un mur. J'y suis allé prendre pour nous un pichet de bière, de la Lone Star.

Rocky m'a attendu, les mains bien sagement croisées sur la table, le dos droit. J'ai versé, elle m'a remercié, et ce côté cérémonieux a conquis mon affection parce que c'était comme si elle essayait de se faire pardonner.

Une serveuse dont le nez se retroussait quand elle parlait nous a laissé deux cartes, et m'a dit qu'elle se ferait désormais un plaisir d'aller chercher nos bières pour nous. Rocky s'est mise à étudier le menu. Il n'y avait que des hamburgers et des steaks ; nous avons demandé à la serveuse de patienter une minute.

Nous nous sommes servis au pichet tout en discutant.

« Ces serveuses, il y en a beaucoup qui gagnent bien. Assez pour élever des gosses. »

Elle a fait oui de la tête.

« Ou bien si tu peux répondre au téléphone et sourire.

— Je comprends, je comprends. » Elle a rempli mon verre. Je lui ai allumé une cigarette, et nous sommes restés sans dire grand-chose jusqu'à ce que le pichet soit presque vide. Les clients avaient commencé à venir : pour la plupart de vieux couples de cow-boys, les femmes en jean, les hommes avec un stetson sur la tête.

« Écoute, j'ai dit. L'autre nuit... Je veux pas qu'on soit obligés de revivre un truc pareil. Tu t'en tirerais pas.

— Non. » Ses yeux ont aussitôt brillé d'un éclat humide. « Non. T'en fais pas. Je... » Elle a secoué la tête et regardé sa bière d'un air renfrogné, puis serré la chope avec ses deux mains. « Je sais pas ce que c'est, mais de temps en temps il y a quelque chose qui cloche dans ma façon de penser. Quelque chose comme... Disons : une idée me vient. Juste une *idée*. Mais je me mets à y croire. Une idée me vient et je fais comme si c'était la réalité. Et je... Ça me fait peur, *man*. Ça me fait peur, ma façon d'agir. Des trucs qui normalement me feraient dire : *Qu'est-ce que tu trafiques, ma fille ?* Mais non, je continue à penser que j'ai raison. Je me dis que l'idée est réelle et que j'ai raison, et après je fais des trucs fous. »

Sa bouche tremblait. Elle gardait les yeux baissés vers son verre dont elle suivait le bord avec le doigt. « Comme de me tirer quelque part. »

J'ai hoché la tête. « Je connais ce genre de chose. »

Elle gardait son air renfrogné et triturait si fort sa chope que les jointures de ses doigts en devenaient blanches. J'ai alors agi bizarrement. J'ai tendu le bras et pris une de ses mains dans la mienne, puis je les ai posées sur la table. Sa main entière tenait dans la paume de la mienne ; elle l'a retournée pour saisir la mienne.

« Je croyais que t'étais parti pour de bon, a-t-elle dit.

— Mais je suis pas parti. C'est vrai.

— Je le sais. Maintenant. »

La serveuse a rempli de nouveau notre pichet sans nous demander ce que nous voulions manger. L'éclairage de la piste de danse a diminué, et George Strait s'est mis à chanter avec son accent traînant, chaud et grave à la fois. Les gens se sont levés pour aller sur la piste, les vieux couples d'abord – des hommes avec des boucles de ceinture aussi grosses que des cœurs humains.

« Mais tu peux pas continuer comme ça, Rocky. Que je sois ici ou pas.

— Je sais. Je sais.

— Tu as la petite, maintenant. C'est terminé. Pour toujours.

— J'ai la tête qui s'embrouille. »

On a bu de la bière du nouveau pichet en regardant les couples tourner lentement, faire des pas de deux, et, à la quatrième ou cinquième chanson, des faisceaux de lumière vert pâle et pourpres venant de l'estrade ont commencé à glisser sur eux et sur les planches, luisants comme des poissons fantomatiques. La chanson qui a suivi était calme, avec une tristesse empreinte d'une sorte de fierté. Des femmes à la coiffure volumineuse, au gros cul serré dans un jean, de l'amour plein le visage. Une brume produite par la fumée de cigarette flottait au-dessus de nous et retenait la lumière.

« Ça me fait peur, a repris Rocky. Pour Tiff. Ça m'inquiète, ce que j'ai fait. Et de l'avoir emmenée, je veux dire. Ce que j'ai fait. *Man.* Ce que j'ai fait. »

Je me suis penché et je l'ai obligée à lever les yeux vers moi.

« Le passé n'est pas réel.

— Quoi ?

— Dis-toi bien ça. Le passé n'est pas réel. C'est juste une de ces idées dont tu penses qu'elles sont réelles. Il existe pas, ma belle. »

Son front s'est plissé et sa petite bouche est restée ouverte, muette.

« Tout commence maintenant. C'est ça. Maintenant. »

Elle s'est essuyé les yeux et s'est tournée vers les danseurs sur la piste.

J'ai dit : « Ne t'emballe pas, mais je suis sur un truc. Il pourrait suffire à assurer pour vous pendant un bout de temps.

277

— Tu parles de quoi ?

— Suppose que tu aies un peu d'argent. Tu ferais quoi ?

— Combien ?

— Assez. Le loyer serait payé. La nourriture et les dépenses fixes. Pendant un bon bout de temps. »

Son regard s'est perdu, et elle a paru réfléchir. Sans s'en rendre compte, elle laissait un ongle tracer des lignes dans le cercle de condensation sur la table.

« Bon. Je vais te dire ce que tu devrais faire. Tu t'obligerais à passer un de ces examens qui te donnent un diplôme du secondaire. »

Elle a soufflé comme si elle trouvait cette idée saugrenue, mais j'ai repris : « Sérieux. Pour de vrai. Tu engages quelqu'un qui t'aidera à garder la petite. Et tu vas suivre des cours quelque temps.

— Des cours ?

— Exactement.

— Mais comment…

— Admettons que tu puisses te les payer. C'est ce que tu *feras* ! Je viens de te le dire. Peu importe le domaine. Il te faut apprendre quelque chose. T'es vive. Apprends à faire quelque chose. » J'ai saisi ses deux mains. « Fais-le pour toi ou fais-le pour elle, mais fais-le. » Elle m'a regardé fixement jusqu'à ce que pratiquement toute la peur ait quitté ses yeux. « Tu as été assez forte pour vivre d'une façon ; eh bien, maintenant, vis de l'autre. Et démarre tout de suite.

— O.K., Roy. O.K. »

Nous avons écouté la chanson qui se terminait et regardé les couples finir leurs circonvolutions. Quand j'ai remarqué que je tenais encore les mains de Rocky, je les ai lâchées, repliant mes doigts.

278

« Quand est-ce que tu sauras ?

— Quoi ?

— Pour l'argent.

— Demain.

— Et si ça marche pas ? »

J'ai haussé les épaules et vidé mon verre. « Je trouverai autre chose. »

La bière a semblé rendre son regard un peu trouble. Elle a terminé son verre et s'est essuyé la bouche. « Est-ce que tu… ? » Elle a laissé la question mourir sur sa langue.

« Quoi ? »

Elle a fortement avalé sa salive et elle a plié les doigts. « Est-ce que tu as fait quelque chose à ce mec, là, Tray ?

— Non. » J'ai souri. « Je lui ai juste foutu la trouille, sans doute. Je lui ai dit de pas s'approcher de toi et de se barrer. Il doit être en train d'arnaquer des pharmaciens de Corpus Christi, à l'heure qu'il est, et d'essayer de se faire tirer dessus.

— Oh. » Elle a scruté mon visage un moment, mais elle ne pouvait rien y lire, et nous avons tous les deux regardé les lumières qui tournoyaient sur la piste de danse vide. Maintenant, on jouait du Glen Campbell.

« Bon. » Ses yeux voilés par la bière ont pétillé, et elle a eu un sourire qui lui a éclairé tout le visage ; on aurait dit des volets s'ouvrant sur l'été. « Tu vas danser avec moi, ou quoi ? »

J'ai secoué la tête, j'ai gloussé, et elle a fait une grimace comme si elle jouait à être terrorisée. Elle m'a conduit sur la piste avec la même détermination pleine de douceur qu'elle employait pour emmener Tiffany dans l'océan, mais j'étais suffisamment ivre pour ne pas me sentir complètement idiot.

279

Quelques personnes nous ont regardés de leurs tables, mais pas longtemps. Je dominais Rocky de toute ma hauteur ; je devais me courber et faire attention à ne pas lui marcher sur les pieds.

Elle s'offrait à moi, son visage contre ma poitrine, et nous nous sommes balancés d'avant en arrière tandis que quelques cow-boys et leurs femmes tournaient autour de nous dans la fraîcheur de cette semi-obscurité où les poissons fantômes nageaient au-dessus de nous tous, et où les cheveux de Rocky avaient une odeur d'eau salée et de soleil.

Je ne sais pas combien de morceaux ont été joués, mais pour finir nous n'avons même pas mangé. Nous avons encore bu de la bière, et Rocky m'a raconté deux ou trois blagues qui étaient si bonnes que je me souviens d'avoir ri très fort.

Elle m'a raconté des choses. Elle m'a parlé d'un soir où on l'avait trimbalée sur le siège arrière de la voiture parce que sa mère allait à un rendez-vous bizarre, un groupe de caravanes dans les bois. Elle m'a parlé de la troupe de danse de son école secondaire : elle avait dû en partir quand elle était tombée enceinte. Elle m'a dit qu'elle avait quitté l'école et qu'ensuite elle avait passé chaque jour que le bon Dieu avait fait dans cette petite cabane au milieu des champs.

Nous avons encore dansé.

Il était tard quand nous sommes partis, et elle marchait avec légèreté en sautillant et tanguant un peu. Elle n'arrêtait pas de me remercier. La nuit était bleutée au bord du parking, mais plus noire sous les arbres où je m'étais garé.

Quand nous sommes arrivés près du pick-up, il m'a semblé que quelque chose clochait. J'ai tripoté mes clés et remarqué que le pneu arrière gauche était complètement à plat, comme une crêpe. J'ai jeté un coup d'œil à Rocky par-dessus le capot et j'ai dit : « Hé... »

Il y avait des hommes derrière elle. Ils venaient de surgir. J'ai entendu les coquilles d'huître craquer.

Puis le tuyau m'a frappé en plein sur les yeux.

QUELQU'UN ME TENAIT PAR LES BRAS. J'ai commencé à me cabrer, et l'arrière de ma tête a explosé. Une douleur à vomir, à me fendre le crâne.

Je savais que quelque chose s'était brisé en moi, dans ma tête. Puis j'ai senti le goût de mon sang mêlé à de la poussière, et j'ai regardé les coquilles d'huître qui me raclaient et m'éraflaient le visage. Je perdais beaucoup de sang sur ces coquilles. Mes bras étaient tirés vers l'avant. Ma vision s'était fêlée en plein milieu, et les deux côtés ne coïncidaient plus. J'ai entendu des cris étouffés.

J'ai entendu s'ouvrir la portière du fourgon, et ils ont recommencé à me frapper.

Des douleurs aiguës dans mes épaules. Ils me tiraient par les bras, et mes pieds traînaient sur le gravier. Ils m'avaient enlevé mes bottes. Des pas qui écrasent les coquilles, une respiration haletante. J'ai tenté de bouger les bras, mais ils ne fonctionnaient plus. Je voyais l'arrière de leurs genoux et leurs chaussures. Des étoiles parsemaient l'horizon. Tordant mon visage pour regarder vers le haut, j'ai aperçu les briques brunes patinées et l'enseigne STAN'S PLACE. J'ai hurlé.

Je ne voyais pas Rocky. Je ne l'entendais pas, mais je hurlais.

Ils m'ont lâché les bras et m'ont bourré de coups de pied jusqu'à ce que je perde à nouveau connaissance.

JE ME SUIS RÉVEILLÉ, le visage sur du béton froid entre des murs sombres et resserrés – une petite pièce. Je pouvais sentir les mecs debout autour de moi, des ombres. Je me suis demandé qui c'était, si Lou ou Jay étaient là. Un seul de mes yeux fonctionnait, et avec celui-là j'y voyais double.

J'ai reconnu le débarras. Je distinguais, au fond, la porte en inox du congélateur et, sur le côté, celle qui menait à la réserve. Je savais qu'il y avait un couloir à droite et des pièces le long de ce couloir.

J'ai de nouveau entendu Rocky, pendant une seconde à peine, un son bref et étranglé qui venait de quelque part dans ce couloir.

Quelqu'un, tout près, s'est moqué de moi. Un autre a jeté le dossier de papiers sur le sol à côté de mon visage. J'ai craché des caillots de sang dessus.

Un autre encore a dit : « Nous quitte pas, Big Country. On attend Stan. Il faut que t'en gardes un peu pour lui. »

J'ai tenté de bouger, mais je pouvais juste me tortiller légèrement. Mes mains ne fonctionnaient plus bien. La douleur – elle procédait par niveaux et elle allait loin ;

je n'arrêtais pas d'en découvrir de nouvelles profondeurs. Des jambes d'hommes se sont matérialisées à partir de l'obscurité, à partir de joggings et d'autres pantalons luisants et sombres, à partir de bottes et de tennis qui m'entouraient.

Quelqu'un a dit : « Alors, Big Country, il paraît que t'es malade, ou quoi ?

— T'as foutu les boules au toubib.

— Tu lui as tellement foutu les boules qu'il s'est tiré. Il a passé quelques jours à se camer à Bay Saint Louis.

— Et puis, il est venu voir Stan pour lui demander de faire le nécessaire pour que tu l'emmerdes plus. Stan a donc téléphoné à la fille qu'il connaît à la compagnie de téléphone. Et elle a trouvé ton numéro. »

C'était la première fois que je me souvenais d'avoir téléphoné au médecin.

« C'est stupide, *man*. Faut être vraiment con, Big Country. Connard de bouseux. »

J'ai cru que j'entendais de nouveau s'élever derrière la porte la voix assourdie de Rocky, de plus en plus haute, puis étouffée, réduite au silence.

Le cercle des chaussures s'est refermé sur moi, puis une batte de base-ball et un long tuyau qui se balançait à côté de leurs genoux. Je me suis pissé dessus. J'ai essayé de me lever, et la batte ou le tuyau a décrit un arc-de-cercle et m'a fêlé la mâchoire.

J'ai craché des dents. Ma langue était déchirée. Ils se sont de nouveau acharnés sur moi.

Quand je me suis réveillé, j'étais ligoté sur une chaise et je pouvais à peine respirer. Ma poitrine me brûlait et mon nez écrasé gargouillait. J'avais vomi sur mes genoux, et le béton au-dessous de moi était luisant de sang. Je savais que j'étais toujours dans la pièce de rangement. Des gouttes d'eau tombaient d'un orifice d'aération situé en hauteur, dans un coin où était également suspendue une baladeuse qui émettait une très faible lumière ; elle m'a fait penser à la lampe orange, seul éclairage de l'entrée de la maison de Frank Sienkiewicz. L'idée m'est alors venue que je n'avais jamais quitté cette entrée. Je m'y trouvais toujours et je n'avais fait que rêver ma fuite.

Mon seul œil valide n'y voyait pas bien, mais je percevais quand même, à la périphérie de mon champ de vision, tout un tas de bosses et de formes étranges sur mon visage.

La chaise était faite de bois dur, solide et lourd. Mes bras étaient attachés si fort et selon un tel angle que mon dos se convulsait de douleur. Ma poitrine était trop serrée au dossier, et mes chevilles aux pieds de la chaise. Il y avait une odeur comme si je m'étais chié dessus. Même avec mon nez écrasé et plein de sang, j'arrivais à le sentir.

Je savais qu'ils allaient prendre leur temps avec moi. J'avais entendu raconter comment Stan se servait d'un chalumeau à acétylène.

Je me suis mis à pleurer.

Je ne pensais pas à Rocky ni à sa sœur. Je voulais juste qu'on ne me fasse plus mal. J'ai pleuré fort, et chaque fois que ma poitrine se soulevait, c'étaient des lames de couteau qui déchiraient mes épaules et mes côtes. J'aurais fait n'importe quoi pour survivre. J'allais les supplier. Je ferais n'importe quoi.

L'orifice d'aération continuait à goutter, et j'entendais très faiblement des voix confuses derrière moi – ce devait être dans la salle de bar –, ainsi qu'un murmure.

continu, à peine perceptible derrière les voix. J'ai compris qu'ils regardaient la télé, là-haut.

Ils étaient assis à boire de la bière et à regarder la télé en attendant Stan.

Je me suis mis à pleurer plus fort.

DERRIÈRE MOI, UNE PORTE A ÉMIS UN LÉGER GRINCEMENT de gonds, puis je l'ai entendue se fermer presque sans bruit. Je sentais quelqu'un dans mon dos – j'avais l'impression que sa présence épaississait l'air.

Je n'arrivais pas à reprendre mon souffle ; mes larmes coulaient lentement sur mes joues et adhéraient au sang. Il y a eu un clic-clac de pas légers sur le béton. Je crois que j'ai essayé de dire *S'il vous plaît*. Ou bien *Attendez*.

Attendez.

C'est alors qu'un parfum – un signe distinctif – a émergé de l'obscurité : l'air s'est chargé d'une odeur de Camel mentholée, de gin, de poudre de riz et de parfum Charlie. Il paraît peu vraisemblable que j'aie pu le sentir dans l'état où j'étais, mais je l'ai senti ; l'air a pris cet état-là et j'ai su qui se trouvait avec moi dans la pièce.

Elle a chuchoté : « Chhhhuttt. Reste tranquille. Pas de bruit. »

La voix étouffée de Carmen et sa chaleur sur ma nuque. Quelque chose qui tire sur mes poignets – la douleur transperce mes épaules. Quand j'ai gémi,

Carmen a sifflé : « Tais-toi. » Les câbles électriques qui retenaient mes poignets sont tombés dans un bruit de gifle contre le sol et m'ont laissé avec les bras tout mous qui pendaient le long de mon corps. La corde qui me ligotait le torse est partie.

Alors j'ai pu la voir – elle est venue devant moi. Elle s'est agenouillée face à moi, et elle a levé ses yeux durs d'intrigante qui, maintenant, étaient empreints de peur et même de pitié. Elle se dépêchait, mais elle a quand même marqué un temps d'arrêt en voyant mon visage, et elle a tressailli. Puis, dans cette faible lumière grise, Carmen s'est accroupie sur le ciment ensanglanté et je l'ai regardée, mon menton tombant sur ma poitrine, pendant qu'à l'aide d'un petit couteau elle sectionnait le ruban qui entourait mes chevilles.

Elle s'est relevée. Ses yeux avaient du mal à soutenir ce qu'ils voyaient, et sa bouche s'était tordue en une sorte de dégoût honteux. Son mascara avait coulé, et de petites traînées noires avaient sali ses joues comme si ses yeux avaient craché de l'encre. Après avoir jeté un coup d'œil par-dessus son épaule vers la porte la plus éloignée, elle a mis le couteau dans ma main mouillée.

Elle a ensuite refermé mes doigts sur le manche. Je gémissais, tellement j'avais mal quand je remuais les doigts. Mais elle a tenu ma main fermée, et elle a chuchoté : « Debout, Roy. Debout. »

J'ai dû lui poser une question sur Rocky, parce que ses yeux ont tremblé, et elle s'est contentée de secouer la tête. Elle m'a aidé à me relever, puis elle m'a lâché et je suis presque tombé. Mes jambes n'étaient pourtant pas en trop mauvais état. C'était tout le reste qui allait mal.

Elle a dit : « Va-t'en. Cours, Roy. Ne te retourne pas. Fonce hors d'ici. » Ses paroles étaient rauques et trempées de larmes, sa voix donnait une impression de colère comme si je lui avais fait du tort.

Je voulais dire quelque chose, mais ma mâchoire ne fonctionnait plus et ma langue était tellement enflée qu'elle me remplissait la bouche. Carmen s'est glissée hors de ma vue, j'ai entendu les claquements étouffés de ses talons sur le sol, puis le grincement des gonds quand la porte s'est ouverte.

Le mur était froid, lorsque je me suis appuyé dessus et que j'ai collé mon visage contre le parpaing. Le couteau reposait dans le creux de ma main devenue molle. Mon autre main était hors d'usage. Les doigts étaient tout tordus.

Des douleurs stupéfiantes, montant du plus profond des os, m'ont vrillé les pieds et les tibias quand j'ai tenté de marcher. La porte menant au couloir me paraissait très loin, et de petites choses craquaient en moi chaque fois que je faisais un pas.

Puis je me suis retrouvé à genoux, clignant des yeux et regardant la baladeuse dans le coin. J'entendais le bruit des gouttes.

Ensuite, les hautes herbes et le lac.

Le sol en béton sali, froid et mouillé.

Les champs de coton la nuit, les grillons qui chantent.

Les Blacks au collège. *C'est quoi qu'tu regardes, pauv'con de Blanc ? On va te botter ton cul de bouseux.*

Je me suis péniblement extrait du débarras, et j'ai longé le couloir sombre au bout duquel brillait un panneau rouge affichant le mot « sortie ». Une réserve, des toilettes, un autre bureau. Des rires enregistrés résonnaient à la télévision ; c'était derrière moi à une bonne distance, mais je m'en suis encore éloigné en prenant appui sur les briques du mur, et mon sang a laissé une trace qui ressemblait à celle d'une chenille. Je suis arrivé devant le bureau. C'était là que se trouvait Rocky.

Ils avaient balayé des bras tout le dessus de la table de travail, et maintenant Rocky était étendue dessus. Ses vêtements étaient par terre, avec les buvards, les stylos et les papiers. Une lampe sur un classeur jetait un linceul de lumière cuivrée sur son corps. Son visage flasque pendait vers la porte, et ses yeux gris, vides et sans lumière, ont croisé les miens. Elle avait un air choqué, accusateur. Une cravate lui entourait le cou. Une cravate à motif cachemire, je m'en souviens.

Je l'ai laissée là.

Je me suis jeté contre la longue barre qui actionnait l'ouverture de la porte. Le métal a résonné et je me suis retrouvé sur le gravier du parking. La nuit était à la fois sombre et brillante, pourpre et dorée, et toutes ces lumières bavaient. Je me suis redressé tant bien que mal, et l'éclat d'un réverbère a jailli sur le couteau dans ma main – mon sang l'avait peint. Tenant à peine sur mes jambes, j'ai trébuché contre un homme qui arrivait de derrière le conteneur à poubelles en remontant sa braguette.

Quand Jay Meires m'a vu, son visage s'est tordu. Il a poussé un grognement de rage, plongé la main vers quelque chose, et je me suis jeté sur lui. J'ai enfoncé mon pouce dans l'un de ses yeux, et appuyé de tout mon poids jusqu'à ce que son globe oculaire éclate. Et mon pouce a continué à creuser. Il a failli hurler, mais tout est allé très vite. J'ai plongé le couteau dans l'autre œil.

Je me suis assis sur son cou et j'ai continué à larder sa tête de coups de couteau.

Je me suis relevé avec peine, toujours seul, dressé au-dessus du visage détruit de Jay.

Des buissons. Des voitures garées. Nous étions derrière le bar. À une distance d'un pâté de maisons, après un terrain vague, un flot de voitures perçait la nuit. Je me suis dirigé vers la route en boitant aussi vite que je pouvais. Des voix se sont élevées derrière moi.

J'étais dans le terrain vague où des herbes sombres me tailladaient les bras. Ils me lançaient des cris depuis le bar.

J'ai recommencé à rêver et, quand j'ai ouvert mon œil, j'étais debout au milieu de la route. Des phares flamboyaient au-dessus de moi, des freins hurlaient. Des phares se sont brisés et m'ont aveuglé.

Je me suis mis à crier en agitant la main. Plusieurs voitures ont failli me heurter. L'une d'elles m'a cogné le coude avec son rétroviseur extérieur, ce qui m'a fait pivoter sur mes talons tandis qu'elle s'arrêtait dans un crissement de pneus.

Des éclairs blancs éclataient dans mes yeux. Des conducteurs klaxonnaient. Je pleurais et je hurlais. Je croyais que les mecs étaient sur mes talons.

D'un coup violent, j'ai ouvert la portière du conducteur, et l'homme à l'intérieur a tenté de repartir. Je revois son visage, sa bouche grande ouverte, ses yeux écarquillés. Je ne sais pas comment, mais je lui ai planté le couteau dans le corps. Je l'ai tiré par la chemise et je l'ai jeté hors de la caisse.

On m'a trouvé à un kilomètre de là : la voiture était écrasée contre le mur du bureau d'un expert-comptable, et j'avais le volant dans la poitrine.

JE ME SUIS RÉVEILLÉ DANS LA LUMIÈRE BLANCHE ET STÉRILE d'un hôpital. J'avais tellement soif que c'était insupportable, et quand je voulais ouvrir la bouche, une douleur déchirante me faisait presque perdre connaissance. Deux policiers étaient postés devant ma porte. Un pansement de gaze me couvrait l'œil gauche – plus tard, j'ai appris que cet œil était perdu. Mes cheveux manquaient par endroits, mes sourcils, à moitié arrachés, étaient hérissés de grosses agrafes ; mon nez avait grossi et s'étalait comme de la margarine.

Personne ne consentait à me dire quoi que ce soit. Puis deux flics sont restés là debout pendant qu'un émissaire du procureur m'informait des charges retenues contre moi, mais je ne pouvais pas encore parler, ni écrire à cause de ma main mutilée. Ma langue était devenue très grosse, sèche comme du papier de verre, et ses agrafes raclaient le sommet de mon palais. Je pouvais sentir les boulons dans mon crâne sans les toucher.

L'homme que j'avais poignardé était vivant. Le procureur n'a pas mentionné le cadavre de Rocky ni celui de Jay Meires. Personne n'a parlé de Stan Ptitko.

Deux semaines plus tard, des agents de police de La Nouvelle-Orléans m'ont escorté lors de ma sortie de l'hôpital. J'ai donné à l'avocat de la ville ma version de ce qui s'était passé ; je lui ai parlé de Stan Ptitko, d'Angelo Medeiras, de Frank Sienkiewicz et de Rocky. Je lui ai tout dit. Il a déclaré que ma déposition devait être faite dans les formes, qu'il faudrait attendre que je ne sois pas sous l'emprise de tous ces médicaments, antalgiques et autres, parce que la défense risquait de s'en servir pour jouer au plus malin. Il y avait aussi un problème concernant les agents fédéraux, comme si les flics locaux ne voulaient pas que je les voie. Un procureur adjoint a dit qu'on allait me sevrer de mes médicaments pendant deux ou trois jours pour prendre ma déposition complète.

Dès que je me suis retrouvé sans mes pilules, des vagues de maux de tête atroces se sont abattues sur moi. Un autre avocat est venu me rendre visite. Les flics avaient dû croire que c'était mon conseil. Ils m'ont conduit à un lieu de visite qui avait la forme d'un wagon. Au milieu, un comptoir était coupé en deux par une grille en fer qui divisait également la pièce. Les murs étaient de ce vert propre aux institutions, et tout avait l'odeur métallique et envahissante du désespoir. Je me suis assis face à un homme en costume installé de l'autre côté de la grille.

Il avait une tête aussi douce et rose qu'une gomme à crayon, avec une couronne de cheveux courts et foncés qui pendaient autour de ses oreilles, des lèvres rouges et épaisses, et des lunettes. Ses traits étaient comme effacés par la graisse. Il avait le nez rond, un double menton arrondi et des oreilles semblables à des boutons de porte. Son costume lui donnait l'air plus mince qu'il ne l'était – ses lourdes lunettes avaient le même effet –, et il a pris une serviette qu'il a posée de son côté du comptoir. Il l'a ouverte, mais je ne pouvais pas voir ce qui se trouvait à l'intérieur.

J'ai eu le sentiment que j'avais déjà vu cet homme, que c'était quelqu'un qui connaissait Stan.

« Monsieur Cady, a-t-il dit. Je vous parle aujourd'hui en tant que conseil d'une tierce partie que je ne nommerai pas et qui s'estime marginalement concernée par vos crimes récents. Je crois comprendre que votre capacité de parler est pour l'instant extrêmement réduite, et je vais donc tenir compte de cet état de fait pour vous expliquer les raisons qui me poussent à vous rencontrer. »

Un bracelet extensible, en or, se nichait dans les poils drus de son poignet. La surface brillante de ses ongles est passée sur quelques papiers, puis il a refermé la serviette. Une migraine écrasante, avec des éclairs blancs, fonçait vers moi comme un train de marchandises.

« Si je m'intéresse à votre cas, c'est afin de déterminer, dans l'intérêt de mon client, si vous avez l'intention de vous défendre en impliquant d'autres personnes dans vos crimes. En croyant ainsi diminuer les conséquences pénales de vos actes. »

Je n'ai pu rien faire d'autre que lever ma tête vers lui d'un air interrogateur. Il parlait en articulant trop, avec une espèce de ronronnement affecté et un accent du Sud désuet qui, comme les traits de son visage, noyait tout dans une sorte de rondeur.

« Autrement dit, comptez-vous vous faciliter les choses en montrant du doigt quelqu'un d'autre ? »

J'ai hoché la tête : *Affirmatif.* Les vis dans mon crâne se sont encore enfoncées. Un agent de police se tenait près de la porte ; il ne nous regardait pas, mais il était sur le qui-vive.

L'avocat a remonté les lunettes sur son nez. « C'est ce que je suis venu vérifier pour que mon client ait la possibilité de constituer une défense efficace. Bien. Naturellement, cette défense comprendra un ensemble de témoins qui seront soumis à un contre-interrogatoire pour corroborer ou contester votre version des faits. »

Je l'ai regardé. Les os autour de mes yeux palpitaient de douleur, et j'ai fixé mon attention sur la grille en métal entre nous dont la peinture s'écaillait, laissant place à la rouille.

« Donc... dans cette liste figureraient des personnes que vous avez connues tout récemment, n'est-ce pas ? Avec lesquelles vous avez voyagé et que vous avez fréquentées. Elle comprendrait une certaine Nancy Covington, propriétaire et gérante du motel Emerald Shores à Galveston, Texas, c'est bien ça ? » Il a fait glisser une feuille de papier sur le dessus de sa serviette et il a paru la lire. « Elle comprendrait une jeune enfant. C'est bien ça ? Une fille de quatre ans, me semble-t-il. »

Les vis dans mon crâne me donnaient l'impression de creuser encore plus loin, et j'ai pensé à la grille en métal. À quel point la vie d'un homme pouvait dépendre d'une fine épaisseur de treillis métallique. Cet avocat ne le savait même pas ; ou peut-être en était-il conscient à un autre niveau. En tout cas, cet écran entre nous était à présent la chose la plus précieuse, la plus importante de sa vie. Il a continué à lire.

297

« Le nom que j'ai ici est celui d'une certaine Tiffany Benoit. Qui réside actuellement, au moment où nous parlons, avec Nonie et Dehra Elliot au 540 Briarwood Lane à Round Rock, Texas. C'est bien ça ? Ces gens ? Cette même personne. C'est bien ça ? Vous avez voyagé avec elle. C'est exact ? »

Il s'est enfin arrêté et nous nous sommes juste regardés fixement.

C'était tout le but de sa visite. Me faire savoir qu'ils n'ignoraient rien de la petite fille. Qu'ils savaient où elle était.

L'avocat s'est levé et presque aussitôt m'a laissé seul, bien que je n'aie répondu à aucune de ses questions. Je me suis dit que maintenant, au moins, je pouvais me remettre aux médicaments antidouleur parce que ma déposition était foutue.

Mon récit a changé du tout au tout. Dès lors, j'ai dit au procureur que je ne pouvais plus me souvenir de ce qui s'était passé.

Ce n'était pas ma première arrestation ni la première fois que je passais en justice. Ils se sont acharnés sur moi parce qu'ils m'en voulaient d'avoir changé ma version des faits.

Treize ans à Angola[1].

J'ai dû l'avaler.

L'enquête sur les trafics du port a été arrêtée.

Je me disais que, de toute façon, je ne ferais pas de vieux os, et d'ailleurs je ne le souhaitais pas parce que, trop souvent, quand je fermais les yeux, je voyais le visage de Rocky, flasque et tourné vers la lumière de la

---

1. Surnom du pénitencier de l'État de Louisiane, réputé pour sa dureté. (N.d.T.)

lampe, ainsi que son corps étendu comme si le bureau avait été un autel.

J'étais content de ne plus être obligé de vivre encore très longtemps avec cette vision.

DÉSORMAIS, JE BOITAIS à cause de l'accident de voiture, et je portais un bandeau sur l'œil gauche. J'avais aussi un autre visage, asymétrique et sillonné de crêtes, des sourcils qui n'étaient plus alignés et un nez comme un morceau de fruit abîmé. Mes doigts ne se sont pas bien redressés, et les articulations sont restées enflées : elles me tuent dès qu'il pleut. L'État m'a donné de nouvelles dents. J'en avais tellement de cassées que le dentiste a arraché les dernières et posé des bridges.

Un médecin a fini par m'examiner de nouveau, mais il n'a pas été capable de dire au juste ce qu'étaient ces taches dans ma poitrine. Il voulait faire une broncho-scopie ou une biopsie guidée par tomodensitométrie. Pour lui, c'était la même chose que ce qu'avait dit l'autre médecin. Il y avait une faible probabilité qu'il s'agisse de tuberculose ou de sarcoïdose. Au mieux, les irrégularités étaient pour l'instant bénignes, mais il était presque certain qu'elles ne le resteraient pas. Les kystes, m'a-t-il expliqué, se maintenaient dans une sorte d'équi-libre, mais ils pouvaient devenir cancéreux et produire des métastases à n'importe quel moment. Il fallait qu'on m'opère. Il voulait les prélever et les examiner. Il y avait de nombreuses stratégies de traitement, a-t-il dit. « On vous mettra dans un meilleur endroit pendant qu'on vous soignera. Ce n'est qu'une question de temps, a-t-il ajouté. À moins d'un miracle médical. »

Je lui ai répondu non. Quand il m'a dit que ce serait l'État qui paierait, je lui ai redit non.

Les deux premières années, j'ai partagé une cellule avec un Noir du nom de Charlie Broedus. Nous nous sommes bien entendus et je ne lui en ai pas voulu quand il a été libéré. Je m'attendais toujours à mourir.

Après un mois de prison, je suis allé à la bibliothèque chercher quelque chose à lire. Je ne savais pas par où commencer. Une bibliothécaire de l'État venait deux fois par mois ; elle m'a suggéré des lectures. C'est comme ça qu'a commencé mon amitié avec Jeanine, la bibliothécaire.

Entre nous il n'y a rien d'extraordinaire, pas de révélation. Je crois qu'elle aimait tout simplement voir un détenu consulter autre chose que des livres de droit.

Quand je lisais, je me plongeais tellement dans les mots et ce qu'ils disaient que je ne sentais plus le temps passer comme d'habitude. J'étais étonné d'apprendre qu'existait une liberté qui n'était constituée que de mots. Puis j'ai eu l'impression d'avoir raté une étape cruciale, longtemps auparavant.

J'avais toujours été bon manuellement : je savais souder, assembler des tuyaux, démonter un moteur, boxer et tirer. Mais je commençais à comprendre que certaines de mes capacités n'avaient servi qu'à me contraindre, à me transformer en fonction, en objet utilitaire. Ça m'avait échappé jusqu'alors.

Mes blessures m'empêchaient de faire le travail de ferme à l'origine du surnom « Angola ». Jeanine m'a

301

aidé à obtenir un emploi dans la bibliothèque où je suis devenu son assistant. Elle avait des cheveux d'un brun terne auxquels elle donnait un volume déjà démodé dans les années 1970, et ses bras mous tremblotaient quand elle poinçonnait une carte. Elle se déplaçait avec une démarche lourde et maladroite. Je décelais parfois des larmes dans ses yeux ; elle s'excusait alors, passait à l'arrière du bureau et n'en ressortait pas avant la fin de la journée.

Je rangeais les étagères et je poussais le chariot le long des rangées de cellules. Personne ne m'embêtait vraiment. Charlie Broedus a été relâché en 92, et j'en ai vu d'autres entrer et sortir. En peu de temps, j'ai fait partie du décor, dans les rayonnages comme à la table du déjeuner, et toujours les yeux sur une page. Toutes ces lectures m'ont incité à réfléchir davantage. Je pouvais me représenter les choses comme je n'aurais pas pu le faire auparavant. Mais, je le répète, rien de tout cela n'a fait de moi quelqu'un de différent.

Je sais qui je suis.

Je pensais trop à Rocky. Et je pensais à Carmen. Je me demandais où elle était, si elle avait réussi à s'échapper. Je n'ai jamais eu de ses nouvelles.

Chaque jour, je m'imaginais en train de tuer Stan Ptitko, et j'inventais de nouvelles manières de procéder : je m'approchais de lui et je sentais son râle d'agonie, j'observais ses yeux. Ou bien je l'emmenais dans les bois et je faisais durer le plaisir.

Tous les soirs, quand je me couchais, j'attendais que le cancer s'étende, mais il restait là sans évoluer, il prenait son temps. J'ai passé presque douze ans comme ça.

Juste comme ça.

SORTI SOUS LIBÉRATION CONDITIONNELLE juste avant le nouvel an du nouveau siècle, je me suis trouvé seul à La Nouvelle-Orléans quand les horloges ont sonné. Cinquante-deux ans, largué dans les rues. Les couleurs avaient globalement changé, tout s'était assombri. Tout le monde avait son téléphone. Il y avait davantage de voitures japonaises. Davantage d'électronique, des écrans télé partout. Le Vieux Carré avait toujours le même air avec ses balcons en fer, ses maisons contiguës et ses patios. Le long des rues, les bars débordaient de monde. Les odeurs de pisse et de vomi dans les caniveaux, les bêlements plaintifs des trompettes, le martèlement des grosses caisses. On avait raconté que tout risquait de s'arrêter, de tomber en panne au passage du nouvel an – quelque chose concernant les ordinateurs. Mais j'étais sûr que ça ne se produirait pas. J'avais aussi appris, après onze ans d'abstinence alcoolique forcée, que je ne pouvais plus boire. Sous l'effet de l'alcool, mon foie se convulsait comme un insecte épinglé sur un mur. Encore un truc.

Posté dans des renfoncements, je regardais la foule qui déambulait dans les rues Dauphine, Bourbon et

303

Royal. Tout le monde s'est embrassé à minuit. Des inconnus partageaient des bouteilles de champagne, des lèvres rencontraient d'autres lèvres, des mains caressaient des cous. Mais dès qu'on me remarquait, aux aguets dans ma zone d'ombre, on me tournait le dos.

Je suis resté à La Nouvelle-Orléans parce que j'allais tuer Stan Ptitko. Son bar était toujours là, sous le même nom.

J'ai dépensé une partie de mon pécule de prisonnier pour acheter un flingue à un gamin noir du côté de Saint Bernard, et je me suis mis à rôder dans les rues bordant Stan's Place. Le bar aurait eu besoin d'un lavage haute pression, et une partie du toit en tôle ondulée était réparée avec de la toile goudronnée bleue. Quelques rues plus loin, au nord-est, un pont enjambait une ravine peu profonde, et c'est là que j'ai campé pendant trois jours et deux nuits. Je dormais sous le pont, enveloppé dans un vieux sac de couchage, vêtu d'un gilet pare-balles mal en point, d'un sweat-shirt à capuche, d'un vieux pantalon et de tennis – le tout acheté chez Goodwill. Et je surveillais le bar. J'ai pensé à Rocky, au pont sous lequel elle devait passer pour rentrer de l'école et à la nuit où elle avait attendu là toute seule.

Le deuxième jour, j'ai vu Stan descendre d'une Lincoln noire. Il s'était beaucoup épaissi, surtout autour de la taille, et il avait perdu des cheveux.

J'ai regardé autour de moi, j'ai vérifié le pistolet – un 9 mm avec une platine à double action – et, le tenant bien en main dans la poche de mon blouson, j'ai longé le pâté de maisons. En un clin d'œil, je me suis retrouvé en face du bar, de l'autre côté de la rue. Je me suis accroupi à côté d'un vieux poteau de téléphone au bord du trottoir et, ma capuche rabattue sur ma tête, j'ai surveillé l'élégante voiture noire ainsi que la porte d'entrée en métal. Trois autres véhicules se trouvaient dans le parking et je ne savais pas combien de gens pouvaient être à l'intérieur. J'avais vu quelques personnes entrer avant Stan – mais je n'en avais reconnu aucune.

C'était une journée argentée à la lumière arctique et pluvieuse, et ma respiration donnait de petites bouffées blanches dans l'air hivernal. Malgré le froid, je transpirais.

Le terrain adjacent au bar était encore inoccupé ; son fossé était engorgé par de la vase et des églantiers, des bouteilles vides d'un litre vingt, des journaux jaunis devenus friables. Un petit mur de ronces et de buissons avait poussé sur le grillage de faible hauteur qui séparait ce terrain du parking. Comme une brise soufflait, j'ai enfoui mon nez dans mon blouson. Ce n'était pas facile d'être là. Je pensais sans arrêt à m'en aller.

Au bout d'un certain temps, Stan est ressorti, tout seul. Je voyais clairement son visage, à présent, bouffi et tombant, son front très dégarni, son menton devenu double. Il était voûté, portait une chemise blanche et un pantalon noir et, debout à côté de sa voiture, il s'est étiré en faisant craquer son dos. Puis il a regardé du côté de la ville et du fleuve. Il m'a jeté un coup d'œil sans paraître en penser quoi que ce soit. Un vieux clodo à côté du poteau de téléphone.

Ç'aurait été facile. Je n'avais qu'à traverser la rue.

Je ne sais pas si mon corps s'est rappelé tout ce qu'ils lui avaient fait, mais une vraie terreur m'a saisi les couilles, le cœur et la gorge. J'ai senti le froid du pistolet en métal dans ma main, et soudain l'idée de m'en servir est devenue impossible, paralysante. Mon corps était comme pétrifié par cette panique.

Je n'avais pas imaginé que j'aurais pu devenir aussi humble.

Je ne voulais tout simplement pas qu'on me fasse encore souffrir.

Donc, à un moment ou un autre, j'étais devenu lâche. Ou peut-être l'avais-je toujours été, et je ne m'en rendais compte que maintenant. Car, à présent, ce que j'avais à l'intérieur surgissait à la surface, en pleine clarté, comme tout le reste de moi.

Stan est monté en voiture et il a mis le moteur en marche. Dans ce froid, la fumée d'échappement était aussi épaisse qu'un nuage, engloutissant le véhicule. Je me suis écarté du bois brut du poteau, et j'ai resserré mon blouson autour de mon corps pendant que la Lincoln sortait du parking. J'ai fait quelques pas sur la chaussée, un peu abasourdi de constater que je le laissais partir Je ne crois pas qu'il ait regardé dans le rétroviseur, mais peut-être l'a-t-il fait. Et il a dû remarquer la silhouette de plus en plus petite qui, debout dans la rue, tenait un pistolet.

J'ai traversé péniblement le parking jusqu'au trottoir de l'autre côté du bar. J'ai jeté le flingue dans un conteneur à poubelles et j'ai traîné ma jambe pendant dix pâtés de maisons pour arriver à la gare routière.

J'étais censé ne pas sortir de l'État, mais j'ai pris plusieurs cars jusqu'à Galveston.

J'AI BARRICADÉ LES FENÊTRES DU REZ-DE-CHAUSSÉE avec des planches, et les gens ont fait la même chose presque partout autour de chez nous. Puis les propriétaires sont partis vers le nord dans des voitures bondées dont certaines tiraient des caravanes ou des remorques bricolées à la hâte. Le Président et le gouverneur ont déclaré l'état d'urgence et décrété une évacuation obligatoire. L'ouragan Ike, dit-on, est inévitable. Des éléments nuageux s'élèvent et s'agrègent, formant une spirale couleur de cendre. Comme la bruine part pratiquement à l'horizontale, j'annule ma promenade matinale. Je ne me rends pas non plus au bar-pâtisserie. J'avais entrepris de préparer un sac de voyage, mais j'ai renoncé. Je reste assis sur mon canapé à siroter un thé chaud en pensant à l'homme à la Jaguar. Je me demande pourquoi je ne suis pas mort cette nuit.

J'entreprends d'ôter ma salopette, mais ma jambe est plus raide que d'habitude à cause de la tempête et de la nuit que j'ai passée assis. Comme je laisse la salopette par terre, Sage arrive en courant et se blottit sur la toile de jean pleine d'odeurs. Il n'y a plus de clients dans l'hôtel, maintenant – c'est évident –, et je retrouve

Cecil au bureau. Il est face à l'ordinateur derrière le comptoir, en train d'examiner des graphiques météo : il lève un sourcil en voyant le cyclone décrit sur le moniteur. On y montre une spirale de nuages dont l'énormité défie tellement l'imagination qu'elle doit être circonscrite par l'image sur l'écran, de la même façon que le temps doit être circonscrit par une histoire.

« Il vaudrait peut-être mieux que tu restes pas ici, dit Cecil. Je risque d'être responsable s'il t'arrive quelque chose.

— Nan. T'inquiète pas.

— Je crois quand même qu'il pourrait passer à côté de nous. Peut-être nous balancer quelques vents forts. Mais pas de marée de tempête. »

Je sais que, comme moi, Cecil a du mal à trouver une bonne raison pour partir. Je lui demande : « Il y a des choses à faire ? »

Il secoue la tête et désigne d'un geste le parking vide. « Congé pour cause d'ouragan. » Je reste avec lui une minute de plus, et nous regardons l'animation sur l'ordinateur, l'image thermique d'une masse tourbillonnante qui s'étend et engloutit la côte.

Il me dévisage comme si j'avais un secret. « Et la fille ? lance-t-il.

— Quelle fille ?

— La jolie fille. Allez, vieux, vide ton sac.

— Qui ?

— Elle t'a pas trouvé ? T'as du succès ! D'abord le mec en costard et maintenant cette nana. Une belle femme. Jeune, les cheveux châtains ? Elle a dit qu'elle te cherchait. Hier soir, assez tôt. » Il ouvre un tiroir derrière le comptoir et en retire une fiche. « Je lui ai dit que tu travaillais aujourd'hui, mais je n'ai pas dit que tu avais une chambre. »

Je prends la fiche, mais je ne reconnais pas le nom porté dessus. Il est écrit de la main de Cecil, et il y a aussi un numéro de téléphone. « Elle ne t'a pas donné de prénom ?

— Non. J'ai pas pensé à lui demander. »

Je relis la fiche. « Qu'est-ce qu'elle a dit ?

— Qu'elle essayait de te joindre. Elle m'a prié de te demander de lui téléphoner. Mortelle, la nana. Tu devrais l'appeler, *man*. Si tu l'appelles pas, je le ferai.

— Et tu lui diras quoi ?

— Je l'inviterai à manger un morceau.

— Elle a quel âge, à peu près ?

— Une vingtaine d'années ? Écoute, si tu te décides à lui téléphoner, recommande-moi.

— Pas de problème. » Et je dois me détourner un peu parce qu'un tremblement accompagné de larmes vient de saisir mon œil valide. Je le sens jusque dans mon œil mort.

« Je crois, dit Cecil en hochant la tête vers l'écran, je crois que je vais quand même partir. Tu devrais peut-être y réfléchir. Tu peux venir avec moi.

— Je suis bien ici. » Je pousse la porte. Le ciel est une masse bouillonnante d'ardoise, de charbon et d'étain. Le vent fouette les palmes et charrie des détritus qui claquent dans les rues vides. L'air regorge d'électromagnétisme et se resserre autour de moi comme si j'étais sous l'eau d'une ville immergée. Je verrouille ma porte et je baisse les stores. Sage gémit.

Le couteau de chasse est posé sur le comptoir. Je contemple son tranchant affûté comme un rasoir à côté de la peau ridée de mon poignet, couverte de taches de rousseur. Je mets le couteau dans un tiroir, et je me sens complètement idiot de l'avoir sorti de là hier.

Je fouille dans le haut de mon étroite penderie et, sur une petite étagère, je prends le dossier en papier kraft contenant les radios qu'on a prises de mes bronches en prison. On peut voir les petites taches qui parsèment mes poumons comme des étoiles, des éclats de bombe qui traversent le temps pour remonter le passé, et j'ai la sensation d'avoir enfin atteint le moment où la bombe va exploser. Je peux la sentir dans le climat et dans le nom de la femme sur la fiche. Il n'y aura pas d'assassins, pas de tueurs venus me dire adieu.

J'allume un bout de joint et je le pince entre mes lèvres. Ici règne une fraîcheur bleutée maintenant que les rideaux sont tirés. Sage se repose tranquillement à mes pieds, la tête entre les pattes, mais elle garde la queue entre les jambes, ce qui me fait penser qu'elle sent ce qui vient, elle aussi.

La femme a dû payer le mec à la Jaguar noire pour me rechercher. Je suppose donc qu'elle a de l'argent et j'en suis heureux.

Je reste à l'intérieur avec ma chienne. Je regarde le ciel sans faire grand-chose, sinon jeter un coup d'œil de temps à autre à mes vieilles radiographies, tourner en rond et me rouler un joint.

Je me dis que cette femme voudra une histoire. Elle veut sans doute que quelqu'un lui explique sa vie. Elle aimerait savoir ce qui s'est passé durant les deux semaines où, à l'âge de trois ans, on l'a emmenée loin de chez elle, où elle a vu l'océan, joué sur la plage et regardé des dessins animés. Et puis un jour sa sœur a disparu. À quoi tout cela ressemblait dans la tête d'une enfant, voilà ce que je me demande.

Une longue histoire peuplée d'orphelins.

Je gratte Sage, et elle pousse un seul gémissement. La peau de ma paupière me démange sous mon bandeau, et je le soulève. Mon œil mort est trempé de larmes ; je les étale sur mes joues pour les chasser.

Je me trompais donc, quand je disais à Rocky qu'on peut choisir ce qu'on ressent. Ce n'est pas vrai. Il n'est même pas vrai qu'on puisse choisir le moment où on ressentira quelque chose. Ce qui se produit, c'est que le passé se coagule comme une cataracte ou une croûte – une croûte de souvenirs sur vos yeux. Et, un jour, la lumière la perce.

Je pense à Carmen et je me demande une fois de plus si elle s'en est bien tirée. J'espère qu'elle aura trouvé autre chose.

Quand ils résonnent, mon cœur n'a même pas de raté – c'est comme si je les avais toujours attendus, ces coups sur la porte. Des coups étouffés, légers, d'une personne inquiète qui ne veut pas déranger.

Je tourne le bouton sans même regarder par le judas. La porte, en grinçant, s'ouvre sur une femme aux yeux désespérés. Elle déborde de beauté. Derrière elle, des nuages gris de tempête se détachent en direction de la mer.

Elle a des cheveux épais, châtain clair ; elle porte un jean et une veste marron clair, ajustée. Cecil avait raison, elle est très jolie. Plus que jolie. Elle se tient sur le palier, une main posée sur son beau sac à main en cuir, et, dans l'autre, une feuille de papier carrée – peut-être une photo. Je réalise sur-le-champ qu'il y a en elle un vide fondamental. Elle compte sur moi pour le remplir.

« Monsieur Cady ? » Elle me regarde fixement, un peu de côté.

Je recule d'un pas, et je me dis qu'elle a l'air d'une femme capable, de quelqu'un qui a de l'argent et une vie, qui se débrouille, et ça me fait plaisir. Ses lèvres sont entrouvertes comme si elle attendait que des mots en sortent, tandis que ses yeux vacillent entre mon visage et la photo qu'elle tient. Ils cherchent. Quel désespoir !

« Je ne vous reconnais pas », déclare Tiffany. Sa voix est plus basse, mais, en réalité, presque reconnaissable. Son regard fait l'aller et retour entre la photo et mon visage. « Non. Ce n'est pas vous. » Elle me tend la photo, elle me l'offre.

C'est une photo ancienne, gondolée et décolorée. On y voit l'océan, une plage. Trois personnes debout dans les vagues. L'homme est grand, large et bronzé, et les filles sont blondes, agiles, mais le détail de leur image se perd dans la lumière blanche du golfe.

J'arrive vraiment à retrouver le visage de l'enfant dans cette femme : le menton court, les yeux effrontés, les lignes arquées de ses lèvres. Je lui demande si elle veut bien entrer.

« Je ne… » Elle scrute de nouveau mon visage. Le tonnerre crépite et retentit sur la mer. « Je crois que je me suis trompée. » Elle soupire. « Je m'excuse. Je suis venue au mauvais endroit. »

Reprenant la photo, elle commence à la glisser dans son sac et se retourne, mais je dis : « C'était il y a vingt ans. J'ai beaucoup changé. »

Elle me regarde à nouveau ; ses sourcils se sont relevés, elle est au bord des larmes.

Je dis : « Vous ne me connaissez pas, mais j'étais un ami, pour vous. »

Une larme comme une tête d'épingle saute sur sa joue. Je m'écarte de la porte et fais signe à la femme d'entrer. Comme Sage court vers ses mollets, elle se baisse pour lui gratter les oreilles.

Je l'invite à s'asseoir. « Vous prendrez du café ? Du thé ?

— Non, merci. » Elle s'arrête et, dans son hésitation, se gratte la lèvre. « J'aimerais juste – si vous avez du temps. J'aimerais juste discuter. Si ça vous convient.

— Vous avez des questions ?

— Oui. Je vous en prie. Je... » Elle balaye la pièce du regard et secoue la tête comme si elle ne parvenait pas à croire qu'elle était arrivée là.

« Je crois que je vais faire du thé. »

Je vais vers la cuisinière où, après avoir allumé un des feux, je remplis la théière et la pose sur les flammes bleues. Tiffany a laissé la photo sur le plan de travail et je lave un peu de vaisselle dans l'évier pour avoir l'excuse de ne pas retourner tout de suite dans la grande pièce. Sur la photo, au soleil, je suis bronzé et fort comme un cheval. Une eau glaciale me coule sur les doigts et me fait mal aux jointures. J'ai du mal à tenir pour réelle la présence de cette femme sur mon canapé – sans parler de ce que son existence même signifie en termes de chance.

Elle mérite mieux que la vérité.

Je rentre dans la pièce où je retrouve le visage vif et intense de Tiffany. Elle gratte Sage et s'efforce de ne pas regarder les radiographies sur le canapé. Elle fixe ma poitrine.

« Comment m'avez-vous retrouvé ?

— Oh. Par... la dame du motel. Il y a longtemps. Elle avait dit qu'en réalité vous vous appeliez Roy. Ce sont les sœurs qui me l'ont dit. L'homme que j'ai engagé a trouvé votre dossier de prisonnier et des photos. Il lui a fallu quelque temps pour vous dépister. Il a cherché un bon moment. Mais on n'était toujours pas sûrs que c'était vous. Vous n'avez plus le même air.

— Non, plus le même. » Je la regarde passer en revue le studio, les piles de livres de poche, et je surprends une sorte de pitié chez elle. Ce qui me déplaît. Je lui demande : « Vous habitez où ?

— À Austin.

— Qu'est-ce que vous y faites ?

— Du graphisme. Pour de la pub.

— Vous avez dû faire des études, pour ça ?

— Oh, ouais. Je suis allée à l'université du Texas.

— Ah, dis-je en souriant presque. Et qui... Où est-ce que vous avez grandi ? Votre famille ?

— Mes parents m'ont adoptée par l'intermédiaire des sœurs de Saint Joseph. J'ai grandi à Tyler. »

Elle me dévisage encore en penchant un peu la tête. Elle porte une bague au doigt, mais je n'arrive pas à déterminer de quel genre.

« Vous êtes mariée ? »

Elle secoue la tête. « Pas encore. Peut-être bientôt. Je vois quelqu'un depuis quelque temps, depuis long-temps.

— Vous êtes amoureuse ?

— Hmm. Oui. » Elle tire sur une mèche de ses cheveux et regarde ailleurs. Dans ce geste, je vois Rocky. Je la vois même si clairement que je suis obligé de tourner la tête. Quand je me hasarde à regarder de nouveau, je vois combien elle lui ressemble, et ma gorge se contracte. Elles ont pratiquement le même visage, et c'est presque insupportable.

« C'est bien, dis-je sans pouvoir encore croiser son regard. Que vous soyez amoureuse.

— C'est lui qui m'a poussée à... faire ça. Il a insisté. Pour que je découvre la vérité.

— Qu'est-ce qu'il fait ?

— Il... Je suis désolée », dit-elle. Je l'ai mise mal à l'aise. Elle ne sait plus quoi penser de cette pièce, de cet espace exigu, de ces radios posées près d'elle. Elle porte le bout de ses doigts à ses lèvres et regarde tout autour comme si quelqu'un d'autre risquait de se trouver là. « Est-ce que vous consentiriez à... Vraiment, il y a des choses que j'ai besoin de savoir. » Les yeux qu'elle fixe sur moi sont ceux de Rocky – remplis de souffrance, ils brillent comme ceux d'une sainte.

Je me rapproche du canapé et lève la main. « Je sais. Vous avez raison. Vous êtes au courant de quoi ?

— Je me souviens vaguement de ma sœur. Un petit peu. Je me souviens que nous sommes allées à la plage. Mais... » Elle perd soudain un peu contenance. « Mais un jour, elle m'a abandonnée. » Elle a les lèvres qui tremblent en faisant cette déclaration.

Je dis : « Non, non. Ce n'est pas ça.

— Qu'est-ce qui s'est passé, alors ?

— On allait revenir vous chercher tout de suite. On sortait juste pour la soirée.

— Mais après ça, c'est à La Nouvelle-Orléans que vous avez été. En prison.

— Oui, c'est exact. » Je retourne mes mains et je baisse les yeux vers mon corps. « Je me suis fait amocher. Un accident. Et comme il y avait un mandat d'arrêt lancé contre moi...

— Mais… Je comprends pas. Qu'est-ce qui s'est passé une fois que vous m'avez quittée ? »

Je garde la tête baissée et je fixe la main de Tiffany qui caresse la chienne.

Elle regarde au loin puis revient vite vers moi. « Est-ce que vous l'avez bien connue… » Sa voix insiste sur ces deux derniers mots : « … ma sœur ?

— Oui, je crois. » J'étudie les nuances des longs cheveux de Tiffany – une prairie sèche par temps d'été –, ses joues bien dessinées, ses grands yeux. « Quel genre de travail publicitaire faites-vous ?

— Pardon ? Je… Je fais des pages web, des logos de sociétés. Des choses de ce genre.

— J'ai été à Austin quelquefois. Il y a longtemps. Barton Springs existe toujours ?

— Oui. Hmm… Vous avez parlé d'un accident ?

— Et il y a de la bonne musique, à Austin. Vous aimez la musique ? »

Elle penche la tête vers moi pour mieux voir mon visage. J'ai tant de peine à la regarder que je suis reconnaissant quand j'entends le sifflet strident de la bouilloire, ce qui me permet de me réfugier dans la kitchenette.

J'ai mal à la poitrine, la main qui tremble quand je saisis la bouilloire, et de petites billes d'eau brûlantes tombent sur le brûleur.

« Écoutez. » Je l'entends depuis l'autre côté de la cloison. « Il faut que je sache. » Elle tousse, refoule un peu de chagrin.

Je remplis deux grandes tasses de Lipton que je laisse infuser.

Je demande : « Est-ce que vous aviez d'autres frères ou sœurs ? Où est-ce que vous avez grandi ? » Elle est si jeune, si réelle, que ma voix a des ratés. Tout son visage est béant de soif de savoir.

Elle hoche la tête. « J'ai un petit frère. Adopté, lui aussi.

— Il s'appelle comment ? »

Elle lance sa main vers son front et sa bouche se tord. « Je suis désolée, mais… pourquoi ne voulez-vous pas me répondre ? Je vous en prie. Je ne comprends pas. »

Je ne peux plus gagner de temps, je sais que je n'aurai pas le cœur de lui cacher son histoire.

Si je lui dis la vérité, peut-être serai-je dégagé des obligations que comporte cette vérité. Je peux la transmettre à celle qui en est la légitime propriétaire, et les étoiles gelées dans ma poitrine finiront peut-être alors par s'embraser.

Je me rends compte à ce moment-là que je ne vais pas mentir à Tiffany. Je vais tout lui révéler. Rocky, son père, la maison de Sienkiewicz, les hommes de La Nouvelle-Orléans et ce qu'ils ont fait.

En même temps, je prends peur pour elle. Puis je me dis : *Ce vide sera comblé, ma petite, mais tu vas devoir être sacrément dure pour le supporter.*

Des années dont on ne se souvient plus. Des années semblables à d'énigmatiques blessures.

Pendant tout ce temps-là, j'ai été ton ami.

« Très bien. » Je me gratte la bouche et je murmure : « C'est moche, quand même.

— Quoi ? » De nouvelles larmes se massent sous la mine renfrognée, forte et dure qu'elle vient de prendre.

Je fais glisser les radios par terre et je m'assois près de Tiffany.

« Je vous dirai tout sur elle et sur ce qui s'est passé, d'accord ? Mais à une condition. » Je tapote la tête de

317

Sage pour indiquer vers quoi me portent mes pensées. « Si je vous parle, vous devrez ensuite partir. Un ouragan arrive et il vous faudra quitter la ville. Tout de suite. Dès que j'aurai fini.

— Vous allez partir ? Je peux revenir.

— Non. Je vais vous parler maintenant. Je vous dirai tout. Mais si je parle, vous devez partir. Et me rendre un service.

— Lequel ?

— Emmener cette chienne avec vous.

— Euh. C'est que... je ne...

— C'est le marché que je vous propose. Ça ou rien. » Elle regarde Sage, lui penche la tête et la gratte. « D'accord, ça marche.

— Vous jurez ?

— Oui. D'accord. » Elle hoche la tête et, une fois de plus, s'essuie les yeux.

C'est devenu une personne de grande taille, avec des os solides et finement taillés, le genre de femme qu'on s'arrête pour regarder ; et ses ongles rouges s'enfoncent dans le pelage cannelle de Sage tandis qu'elle renifle et m'attend.

« L'autre fille, sur cette photo, n'est pas votre sœur. C'est votre mère. Ne lui en voulez pas. Sa vie a été dure. » Soudain, je tends maladroitement ma main mutilée et la pose sur la sienne. « Mais elle a fait quelque chose de courageux, un jour. »

Ma main paraît monstrueuse quand elle touche celle de Tiffany, qui la laisse là, pourtant. Et dont le regard taraude mon œil valide.

« Elle ne vous a pas laissée tomber, dis-je. Ça ne s'est pas passé comme ça. On ne vous a pas abandonnée. »

Elle couvre sa bouche et ses traits s'affaissent, semblent s'effondrer comme un château de sable sous la marée montante. Je m'approche encore et pose mon autre main sur son épaule – je ne peux pas m'en empêcher. Elle me serre les doigts. Je laisse les choses passer sur elle, je lui accorde un moment. Il lui faudra toute sa force pour la suite.

Dès qu'elle a un peu rassemblé ses esprits et que je lui ai apporté du thé, je reprends.

Je lui raconte tout.

LORSQU'ELLE REPART, JE RESTE DEBOUT près de la porte et je la regarde faire entrer Sage dans la voiture – une Toyota dorée, très raisonnable. Elle s'arrête un instant avant de monter, et la pluie lui donne une aura. Elle lève les yeux vers moi. Je suis obligé de refermer la porte et de rester à l'intérieur jusqu'à ce que j'entende la voiture s'éloigner.

Je me la représente en train de promener Sage le long des rochers blancs et des eaux claires qui traversent Austin, et je ne pense pas à Rocky.

Je pense à une brise qui ride la surface d'un lac et à la voix de ma mère qui chante « A Poor Man's Roses ».

J'ai la tête légère et mes mains ne me font plus mal.

Le grand vent fouette la pluie, la transforme en fléchettes, et les nuages rendent l'après-midi aussi sombre qu'une robe de veuve. L'air est lourd, chargé d'ozone et d'eau de mer. Il claque et craque au loin. Des langues de feu éclatent sur l'océan comme si le ciel avait avalé de la dynamite. Là où son bord se soulève, je distingue presque une autre obscurité, une autre sorte de noir plus dense qui s'avance lentement du fond de l'horizon sous une forme que je ne peux imaginer.

Les branches qui éraflent les fenêtres condamnées par des planches font le même bruit que si elles donnaient des coups de griffes pour entrer, et l'animal qu'elles sont à présent possède la voix du vent, un gémissement grave et blessé.

Vingt ans ont passé.

Je craignais de vivre éternellement.

Remerciements

Mes plus vifs remerciements à Henry Dunow et Colin Harrison pour leur foi en ce livre, leurs avis éclairés et leurs efforts. Je voudrais également exprimer ma reconnaissance à David Poindexter – un érudit et un gentleman, ami des écrivains où qu'ils soient.

Collection « Littérature étrangère »

SOLER Jordi
Les Exilés de la mémoire
La Dernière Heure
  du dernier jour
La Fête de l'Ours

SWARUP Vikas
Les Fabuleuses Aventures
  d'un Indien malchanceux
  qui devint milliardaire
Meurtre dans un jardin
  indien

TOLTZ Steve
Une partie du tout

TSIOLKAS Christos
La Gifle

ULINICH Anya
La Folle Équipée
  de Sashenka Goldberg

UNSWORTH Barry
Le Nègre du paradis
La Folie Nelson

VALLEJO Fernando
La Vierge des tueurs
Le Feu secret

La Rambla paralela
Carlitos qui êtes aux cieux

VREELAND Susan
Jeune fille en bleu jacinthe

WATSON Larry
Sonja à la fenêtre

WEISGARBER Ann
L'Histoire très ordinaire
  de Rachel Dupree

WELLS Rebecca
Fleurs de Ya-Ya

WEST Dorothy
Le Mariage

WINGFIELD Jenny
Les Ailes de l'ange

ZHANG Xianliang
La mort est une habitude
La moitié de l'homme,
  c'est la femme

ZWEIG Stefan
Le Monde d'hier.
  Souvenirs d'un Européen

Composition et mise en pages : FACOMPO, LISIEUX

Cet ouvrage a été imprimé par
CPI Firmin Didot à Mesnil-sur-l'Estrée
en juin 2011

Dépôt légal : septembre 2011
N° d'impression : 105194
Imprimé en France

X